2학년
수학 교과서

초등학교 ____ 학년 ____ 반

이름 _____

Star Maths 2B : ISBN 978-951-1-32169-9

©2016 Katariina Asikainen, Maarit Forsback, Sirpa Haapaniemi, Anne Kalliola, Sirpa Mörsky, Arto Tikkanen, Juha Voima, Miia-Liisa Waneus and Otava Publishing Company Ltd., Helsinki, Finland

Korean Translation Copyright ©2021 Mind Bridge Publishing Company

QR코드를 스캔하면 놀이 수학
동영상을 보실 수 있습니다.

핀란드 2학년 수학 교과서 2-2 1권

초판 1쇄 발행 2021년 4월 5일
초판 5쇄 발행 2023년 7월 20일

지은이 마아리트 포슈박, 안네 칼리올라, 아르토 티카넨, 미이아-리이사 바네우스
그린이 마이사 라야마키-쿠코넨 **옮긴이** 이경희
펴낸이 정혜숙 **펴낸곳** 마음이음

책임편집 이금정 **디자인** 디자인서가
등록 2016년 4월 5일(제2018-000037호)
주소 03925 서울시 마포구 월드컵북로 402 9층 917A호(상암동 KGIT센터)
전화 070-7570-8869 **팩스** 0505-333-8869
전자우편 ieum2016@hanmail.net
블로그 https://blog.naver.com/ieum2018

ISBN 979-11-89010-57-7 64410
　　　　979-11-89010-56-0 (세트)

이 책의 내용은 저작권법의 보호를 받는 저작물이므로 무단전재와 복제를 금합니다.
책값은 뒤표지에 있습니다.

어린이제품안전특별법에 의한 제품표시
제조자명 마음이음 **제조국명** 대한민국 **사용연령** 만 8세 이상 어린이 제품
KC마크는 이 제품이 공통안전기준에 적합하였음을 의미합니다.

핀란드 2학년 수학 교과서

2-2 1권

글 마아리트 포슈박, 안네 칼리올라,
아르토 티카넨, 미이아-리이사 바네우스

그림 마이사 라야마키-쿠코넨

옮김 이경희(전 수학 교과서 집필진)

마음이음

핀란드 학생들이 수학도 잘하고
수학 흥미도가 높은 비결은?

우리나라 학생들이 수학 학업 성취도가 세계적으로 높은 것은 자랑거리이지만 수학을 공부하는 시간이 다른 나라에 비해 많은 데다, 사교육에 의존하고, 흥미도가 낮은 건 숨기고 싶은 불편한 진실입니다. 이러한 측면에서 사교육 없이 공교육만으로 국제학업성취도평가(PISA)에서 상위권을 놓치지 않는 핀란드의 교육 비결이 궁금하지 않을 수가 없습니다. 더군다나 핀란드에서는 숙제도, 순위를 매기는 시험도 없어 학교에서 배우는 수학 교과서 하나만으로 수학을 온전히 이해해야 하지요. 과연 어떤 점이 수학 교과서 하나만으로 수학 성적과 흥미도 두 마리 토끼를 잡게 한 걸까요?

－ 핀란드 수학 교과서는 수학과 생활이 동떨어진 것이 아닌 친밀한 것으로 인식하게 합니다. 그 래서 시간, 측정, 돈 등 학생들은 다양한 방식으로 수학을 사용하고 응용하면서 소비, 교통, 환경 등 자신의 생활과 관련지으며 수학을 어려워하지 않습니다.

- 교과서 국제 비교 연구에서도 교과서의 삽화가 학생들의 흥미도를 결정하는 데 중요한 역할을 한다고 했습니다. 핀란드 수학 교과서의 삽화는 수학적 개념과 문제를 직관적으로 쉽게 이해하도록 구성하여 학생들의 흥미를 자극하는 데 큰 역할을 하고 있습니다.

- 핀란드 수학 교과서는 또래 학습을 통해 서로 가르쳐 주고 배울 수 있도록 합니다. 교구를 활용한 놀이 수학, 조사하고 토론하는 탐구 과제는 수학적 의사소통 능력을 향상시키고 자기 주도적인 학습 능력을 길러 줍니다.

- 핀란드 수학 교과서는 창의성을 자극하는 문제를 풀게 합니다. 답이 여러 가지 형태로 나올 수 있는 문제, 스스로 문제 만들고 풀기를 통해 짧은 시간에 많은 문제를 푸는 것이 아닌 시간이 걸리더라도 사고하며 수학을 하도록 합니다.

- 핀란드 수학 교과서는 코딩 교육을 수학과 연계하여 컴퓨팅 사고와 문제 해결을 돕는 다양한 활동을 담고 있습니다. 코딩의 기초는 수학에서 가장 중요한 논리와 일맥상통하기 때문입니다.

핀란드는 국정 교과서가 아닌 자율 발행제로 학교마다 교과서를 자유롭게 선정합니다. 마음이음에서 출판한 『핀란드 수학 교과서』는 핀란드 초등학교 2190개 중 1320곳에서 채택하여 수학 교과서로 사용하고 있습니다. 또한 이웃한 나라 스웨덴에서도 출판되어 교과서 시장을 선도하고 있지요.

코로나로 인하여 온라인 수업과 재택 수업으로 학습 격차가 커지고 있습니다. 다행히 『핀란드 수학 교과서』는 우리나라 수학 교육 과정을 다 담고 있으며 부모님 가이드도 있어 가정 학습용으로 좋습니다. 자기 주도적인 학습이 가능한 『핀란드 수학 교과서』는 학업 성취와 흥미를 잡는 해결책이 될 수 있을 것으로 기대합니다.

이경희(전 수학 교과서 집필진)

수학은 흥미를 끄는 다양한 경험과 스스로 공부하려는 학습 동기가 있어야 좋은 결과를 얻을 수 있습니다. 국내에 많은 문제집이 있지만 대부분 유형을 익히고 숙달하는 데 초점을 두고 있으며, 세분화된 단계로 복잡하고 심화된 문제들을 다룹니다. 이는 학생들이 수학에 흥미나 성취감을 갖는 데 도움이 되지 않습니다.

공부에 대한 스트레스 없이도 국제학업성취도평가에서 높은 성과를 내는 핀란드의 교육 제도는 국제 사회에서 큰 주목을 받아 왔습니다. 이번에 국내에 소개되는 『핀란드 수학 교과서』는 스스로 공부하는 학생을 위한 최적의 학습서입니다. 다양한 실생활 소재와 풍부한 삽화, 배운 내용을 반복하여 충분히 익힐 수 있도록 구성되어 학생이 흥미를 갖고 스스로 탐구하며 수학에 대한 재미를 느낄 수 있을 것으로 기대합니다.

전국수학교사모임

수학 학습을 접하는 시기는 점점 어려지고, 학습의 양과 속도는 점점 많아지고 빨라지는 추세지만 학생들을 지도하는 현장에서 경험하는 아이들의 수학 문제 해결력은 점점 하향화되는 추세입니다. 이는 학생들이 흥미와 호기심을 유지하며 수학 개념을 주도적으로 익히고 사고하는 경험과 습관을 형성하여 수학적 문제 해결력과 사고력을 신장하여야 할 중요한 시기에, 빠른 진도와 학습량을 늘리기 위해 수동적으로 설명을 듣고 유형 중심의 반복적 문제 해결에만 집중한 결과라고 생각합니다.

『핀란드 수학 교과서』를 통해 흥미와 호기심을 유지하며 수학 개념을 스스로 즐겁게 내재화하고, 이를 창의적으로 적용하고 활용하는 수학 학습 태도와 습관이 형성된다면 학생들이 수학에 쏟는 노력과 시간이 높은 수준의 창의적 문제 해결력이라는 성취로 이어질 것입니다.

손재호(KAGE영재교육학술원 동탄본원장)

「핀란드 수학 교과서(Star Maths)」 시리즈를 펴낸 오타바(Otava) 출판사는 교재 전문 출판사로 120년이 넘는 역사를 지닌 명실상부한 핀란드의 대표 출판사입니다. 특히 「Star Maths」 시리즈는 핀란드 학교 현장의 수학 전문가들이 최신 핀란드 국립교육과정을 반영하여 함께 개발한 핀란드의 대표 수학 교과서입니다.

수 개념과 십진법을 이해하기 위한 탄탄한 기반을 제공하여 연산 능력을 키우고, 기본, 응용, 심화 문제 등 학생 개개인의 학습 차이를 다각도에서 고려하여 다양한 평가 문제를 실었습니다. 또한 친구 또는 부모님과 함께 놀이를 통해 문제 해결을 하며 수학적 즐거움을 발견하여 수학에 대한 긍정적인 태도를 갖도록 합니다.

한국의 학생들이 이 책과 함께 즐거운 수학 세계로 여행을 떠나길 바랍니다.

마아리트 포슈박, 안네 칼리올라, 아르토 티카넨,
미이아-리이사 바네우스(STAR MATHS 공동 저자)

이 책의 구성

학습 목표 그림
제목 아래 있는 그림은 학습 목표를 보여 줍니다. 아이와 함께 그림을 보며 여러 질문과 함께 이야기를 나눠 보세요.

기본 문제
시작 두 페이지에는 연산 능력을 키워 주는 기본 문제들이 있습니다.

한 번 더 연습해요!
배운 내용을 한 번 더 복습해서 기초를 확실하게 다져 줍니다.

실력을 키워요!
좀 더 응용된 문제를 통해 배운 개념을 확실하게 익힐 수 있습니다.

- 수학적 이야기가 풍부한 그림으로 수학 학습에 영감을 불어넣어요.
- 수학적 구조를 발견하고 이해하게 하여 수학 공식을 암기할 필요 없어요.
- 연산, 서술형, 응용과 심화, 사고력 문제가 한 권에 모두 들어 있어요.

평가 문제
개념과 원리를 잘 이해했는지 스스로 점검해 볼 수 있습니다.

심화 평가
기본 문제를 모두 이해한 아이가 도전해 볼 수 있는 난이도 있는 문제로 구성하였습니다.

놀이 수학
책에 포함된 놀이 카드를 사용해 부모님 또는 친구와 함께 놀이를 하며 수학에 대한 흥미를 키울 수 있습니다.

탐구 과제
스스로 탐구하고 조사하며 수학 개념을 내 것으로 만들 수 있습니다.

차례

1 3단

1. 계산해 보세요.

3 × 0 = _____

3 × 1 = _____

3 × 2 = _____

3 × 3 = _____

3 × 4 = _____

3 × 5 = _____

3 × 6 = _____

3 × 7 = _____

3 × 8 = _____

3 × 9 = _____

3 × 10 = _____

2. 그림을 보고 곱셈식으로 나타내어 답을 구해 보세요.

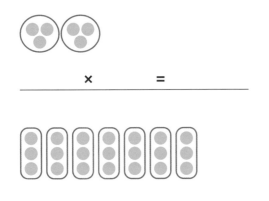

_____ × _____ = _____

_____

_____

3. 그림으로 그린 후, 곱셈식을 쓰고 답을 구해 보세요.

3의 4배

_____

3의 6배

_____

4. 다람쥐는 3칸씩 뜀뛰기를 해요. 수직선을 따라 뜀뛰기를 하며 깃발에 3단을 써 보세요.

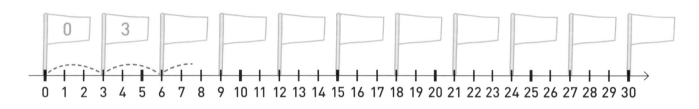

5. 계산해 보세요.

3 × 2 = _____

3 × 4 = _____

3 × 1 = _____

3 × 3 = _____

7 × 3 = _____

9 × 3 = _____

3 × _____ = 15

3 × _____ = 12

3 × _____ = 30

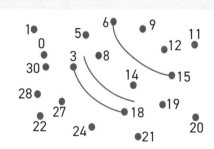
한 번 더 연습해요!

1. 계산해 보세요.

3 × 6 = _____

3 × 3 = _____

3 × 9 = _____

3 × 10 = _____

2 × 3 = _____

5 × 3 = _____

7 × 3 = _____

8 × 3 = _____

2. 3단을 따라 점을 이어 보세요.

6. 규칙에 따라 수를 써넣어 보세요.

0	2		6						18	

0	3		9			24		

0		10			25	30			50

20	18		14				4	

30	27		21	18			9		0

100		80				30	20	

7. 계산값이 같은 것끼리 같은 색으로 색칠해 보세요.

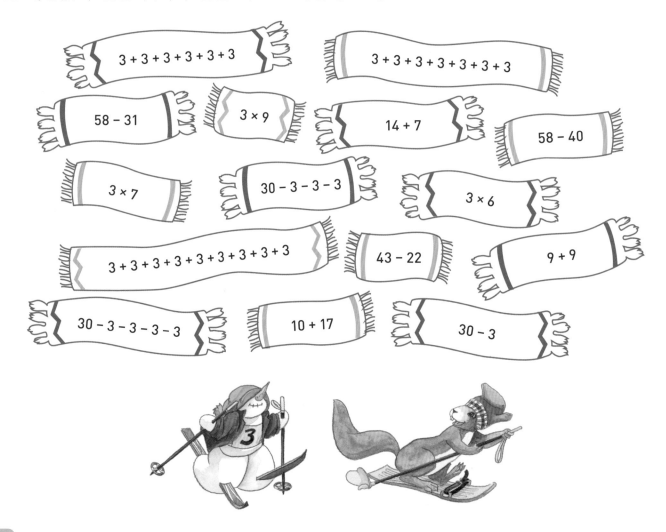

8. □ 안에 >, =, <를 알맞게 써넣어 보세요.

3 × 3 □ 10		3 × 2 □ 4 + 2		3 × 4 □ 13 − 2
3 × 5 □ 15		3 × 9 □ 8 + 19		3 × 8 □ 32 − 8
3 × 8 □ 21		3 × 6 □ 8 + 9		3 × 0 □ 8 − 7

9. 그림이 들어간 식을 보고 그림의 값을 구해 보세요.

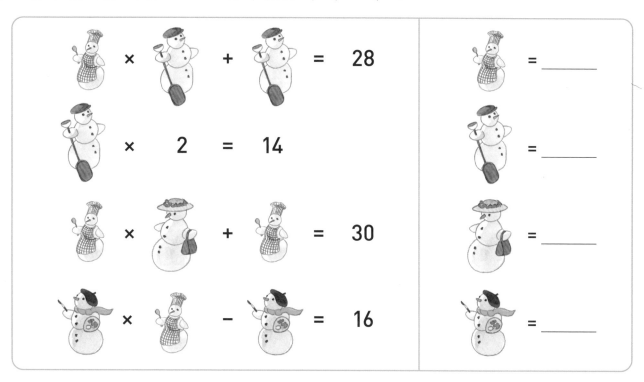

10. 아래 글을 읽고 주사위 눈을 그려 넣어 보세요.

• 두 주사위 눈의 합은 9예요.	• 두 주사위 눈의 곱은 12예요.
• 두 주사위 눈의 곱은 18이에요.	• 두 주사위 눈의 차는 1이에요.
• 첫 번째 주사위 눈은 두 번째 주사위 눈의 수보다 작아요.	• 첫 번째 주사위 눈은 두 번째 주사위 눈의 수보다 커요.

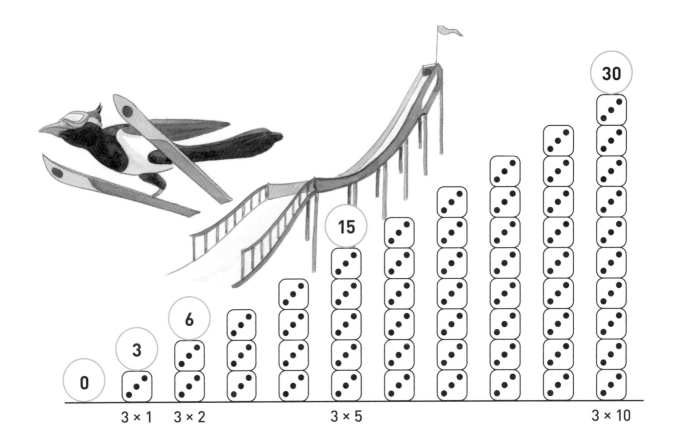

3 × 1   3 × 2   3 × 5   3 × 10

11. 계산해 보세요. 그림을 보고 풀어도 돼요.

3 × 3 = _____   3 × 7 = _____   3 × 4 = _____

3 × 6 = _____   3 × 9 = _____   3 × 8 = _____

12. 계산해 보세요.

3 × 2 + 3 = _____   3 × 5 + 3 = _____   3 × 5 + 6 = _____

3 × 3 = _____   3 × 6 = _____   3 × 7 = _____

3 × 5 – 3 = _____   3 × 10 – 3 = _____   3 × 10 – 6 = _____

3 × 4 = _____   3 × 9 = _____   3 × 8 = _____

13. 계산해 보세요.

3 × 6 = _____   3 × 7 = _____   3 × 9 = _____

6 × 3 = _____   7 × 3 = _____   9 × 3 = _____

14. 그림으로 그린 후, 곱셈식을 쓰고 답을 구해 보세요.

❶ 축구 선수를 5그룹으로 나누었어요. 한 그룹에 3명씩 있다면 축구 선수는 모두 몇 명인가요?

식 : _____

정답 : _____

❷ 야구 선수를 3그룹으로 나누었어요. 한 그룹에 8명씩 있다면 야구 선수는 모두 몇 명인가요?

식 : _____

정답 : _____

❸ 학생 7명이 눈사람을 3개씩 만들었어요. 학생들이 만든 눈사람은 모두 몇 개인가요?

식 : _____

정답 : _____

❹ 학생 3명이 팽이를 9개씩 만들었어요. 학생들이 만든 팽이는 모두 몇 개인가요?

식 : _____

정답 : _____

한 번 더 연습해요!

1. 학생들을 6그룹으로 나누었어요. 한 그룹에 3명씩 있다면 학생들은 모두 몇 명인가요?

식 : _____

정답 : _____

2. 계산해 보세요.

$3 \times 2 + 3 =$ _____

$3 \times 3 =$ _____

$3 \times 9 - 3 =$ _____

$3 \times 8 =$ _____

15. 그림을 보고 덧셈식과 곱셈식으로 나타낸 후 계산해 보세요.

300원 + 300원 =   원

300원 × 2 =   원

_____

_____

_____

_____

_____

_____

_____

16. 계산한 후 정답에 해당하는 색을 칠해 보세요. 12 ⬤ 18 ⬤ 24 ⬤

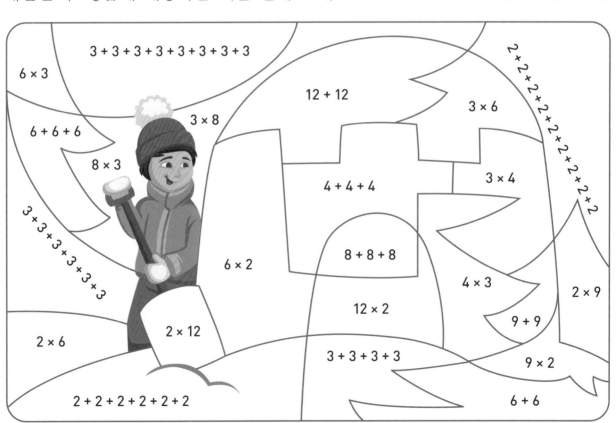

17. 아래 글을 읽고 참, 거짓을 표시해 보세요.

	참	거짓

❶ 2단의 모든 수는 짝수예요.　　　　　☐　☐

❷ 3단의 모든 수는 홀수예요.　　　　　☐　☐

❸ 18은 2단과 3단에서 찾을 수 있어요.　☐　☐

❹ 25는 3단과 5단에서 찾을 수 있어요.　☐　☐

❺ 10단은 5단에서도 찾을 수 있어요.　　☐　☐

❻ 2의 10배는 3의 10배보다 커요.　　　☐　☐

18. 그림이 들어간 표를 보고 그림의 값을 구해 보세요.

					28
					23
					29
					30
					28
29	34	26	15	34	

 = _____　　 = _____

 = _____

＝ _____　　＝ _____　　＝ _____

19. 계산값이 같은 것끼리 이어 보세요.

20. 쌓기나무가 몇 개인지 그림을 보고 식과 답을 구해 보세요.

식 : _____

정답 : _____

식 : _____

정답 : _____

식 : _____

정답 : _____

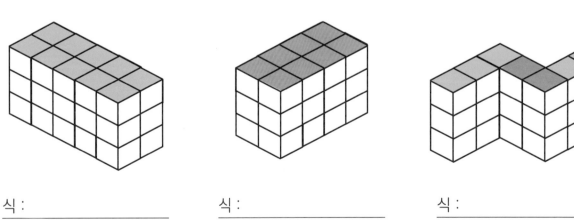

식 : _____

정답 : _____

식 : _____

정답 : _____

식 : _____

정답 : _____

21. 중앙에 있는 수와 파란색 수를 곱한 값을 ☐ 안에 써넣어 보세요.

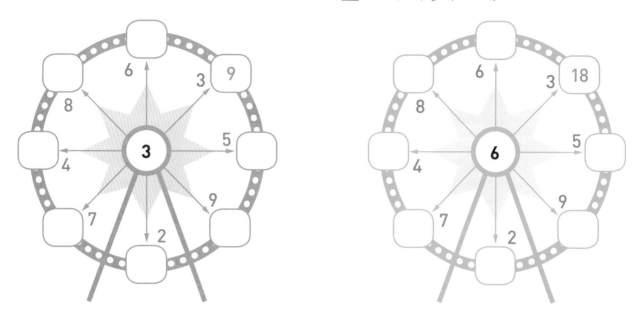

22. 설명을 읽고 친구들의 이름, 나이, 사는 곳을 알아맞혀 보세요.

- 토마스는 올리버와 스텐리 사이에 있어요.
- 올리버는 12살이고 오른쪽 끝에 있어요.
- 덴마크에 사는 젠은 9살이에요.
- 핀란드에 사는 소년은 덴마크에 사는 소년 옆에 있지 않아요.
- 소년 중의 한 명은 젠과 나이가 같아요.
- 스웨덴에 사는 소년은 핀란드와 노르웨이에 사는 소년 사이에 있어요.
- 핀란드에 사는 소년의 나이는 스웨덴에 사는 소년 나이의 2배예요.

이름				
나이				
나라				

2 4단

1. 계산해 보세요.

4 × 0 = _____

4 × 1 = _____

4 × 2 = _____

4 × 3 = _____

4 × 4 = _____

4 × 5 = _____

4 × 6 = _____

4 × 7 = _____

4 × 8 = _____

4 × 9 = _____

4 × 10 = _____

2. 그림을 보고 곱셈식으로 나타내어 답을 구해 보세요.

_____ × _____ = _____

_____

_____

_____

3. 그림으로 그린 후, 곱셈식을 쓰고 답을 구해 보세요.

4의 3배

_____

4의 6배

_____

4. 다람쥐는 4칸씩 뜀뛰기를 해요. 수직선을 따라 뜀뛰기를 하며 깃발에 4단을 써 보세요.

5. 계산해 보세요.

4 × 0 = _____

4 × 1 = _____

4 × 2 = _____

4 × 4 = _____

4 × 9 = _____

4 × 7 = _____

4 × _____ = 12

4 × _____ = 40

4 × _____ = 24

한 번 더 연습해요!

1. 계산해 보세요.

4 × 3 = _____

4 × 7 = _____

4 × 9 = _____

4 × 10 = _____

2 × 4 = _____

5 × 4 = _____

6 × 4 = _____

8 × 4 = _____

2. 4단을 따라 점을 이어 보세요.

6. 계산값이 같은 것끼리 이어 보세요.

4 + 4 + 4 + 4 + 4	7 × 4
4 + 4 + 4 + 4 + 4 + 4	4 × 6
4 + 4 + 4 + 4 + 4 + 4 + 4	5 × 4
5 + 5 + 5 + 5	6 × 4
6 + 6 + 6 + 6	4 × 5
7 + 7 + 7 + 7	4 × 7

28   24   20

7. 계산한 후 정답에 해당하는 색을 칠해 보세요.   20 ● 24 ● 28 ●

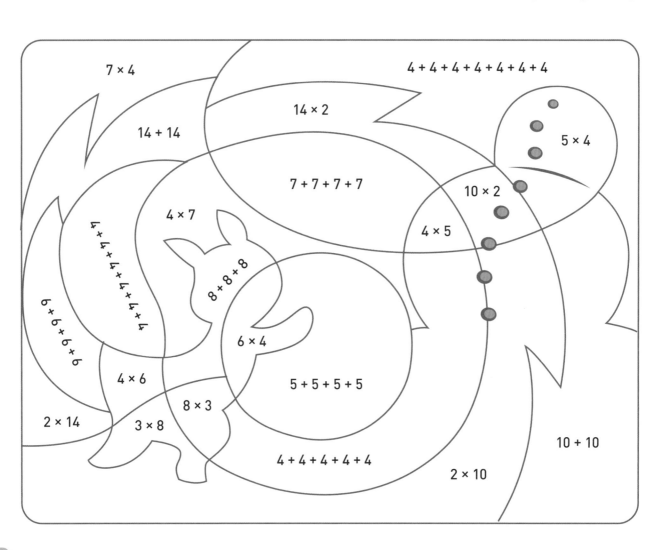

8. 빈칸에 알맞은 수를 구해 보세요.

$3 \times \underline{\hspace{1.5cm}} = 2 \times 6$ $8 \times \underline{\hspace{1.5cm}} = 4 \times 4$ $4 \times 2 = 2 \times 2 \times \underline{\hspace{1.5cm}}$

$3 \times \underline{\hspace{1.5cm}} = 4 \times 6$ $5 \times \underline{\hspace{1.5cm}} = 4 \times 5$ $4 \times 8 = 2 \times 2 \times \underline{\hspace{1.5cm}}$

9. 학생들이 생각하는 수를 맞혀 보세요.

2단과 4단에서 찾을 수 있어. 원 안에 없어.

4단에서 찾을 수 있어. 그 숫자의 자리 수를 각각 더하면 5가 돼.

오로라의 수 _____

조세핀의 수 _____

3단에서 찾을 수 있어. 삼각형에는 있고 원에는 없어.

3단에서 찾을 수 있어. 사각형 안에 없어.

로라의 수 _____

마커스의 수 _____

같은 수를 곱한 값과 같아. 삼각형 안에 없어.

2단과 3단에서 찾을 수 있어. 원, 삼각형, 사각형 안에 모두 있어.

베니의 수 _____

윌리엄의 수 _____

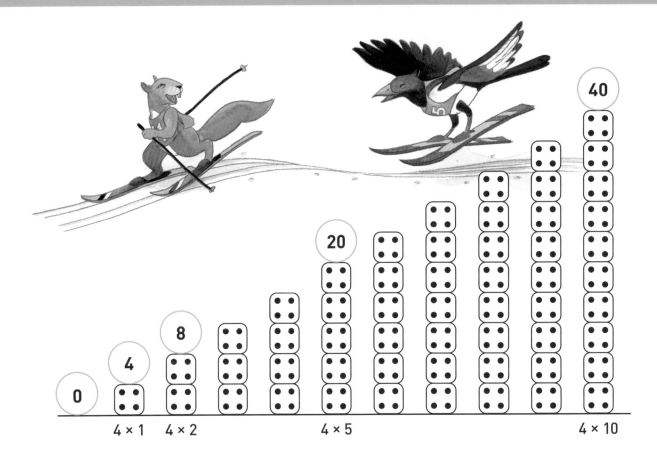

4 × 1   4 × 2   4 × 5   4 × 10

10. 계산해 보세요. 그림을 보고 풀어도 돼요.

4 × 3 = _____   4 × 7 = _____   4 × 4 = _____

4 × 6 = _____   4 × 9 = _____   4 × 8 = _____

11. 계산해 보세요.

4 × 2 + 4 = _____ │ 4 × 5 + 4 = _____ │ 4 × 5 + 8 = _____

4 × 3 = _____ │ 4 × 6 = _____ │ 4 × 7 = _____

4 × 5 − 4 = _____ │ 4 × 10 − 4 = _____ │ 4 × 10 − 8 = _____

4 × 4 = _____ │ 4 × 9 = _____ │ 4 × 8 = _____

12. 계산해 보세요.

4 × 6 = _____   4 × 7 = _____   4 × 9 = _____

6 × 4 = _____   7 × 4 = _____   9 × 4 = _____

13. 그림으로 그린 후, 곱셈식을 쓰고 답을 구해 보세요.

❶ 가게 안에 상자가 3개 있어요. 상자 1개당
공이 4개씩 들어 있어요. 상자에 있는
공은 모두 몇 개인가요?

식 : _____

정답 : _____

❷ 체육관 안에 바구니가 5개 있어요. 바구니
1개당 글러브가 4개씩 들어 있어요.
바구니에 있는 글러브는 모두 몇 개인가요?

식 : _____

정답 : _____

❸ 운동장에 7팀이 있어요. 각 팀마다
선수가 4명씩 있어요. 운동장에 있는
선수는 모두 몇 명인가요?

식 : _____

정답 : _____

❹ 가게에 상자가 4개 있어요. 상자 1개당
호박이 4개씩 들어 있어요. 상자에 있는
호박은 모두 몇 개인가요?

식 : _____

정답 : _____

 한 번 더 연습해요!

1. 학생 6명이 공을 4개씩 가지고 있어요.
학생들이 가진 공은 모두 몇 개인가요?

식 : _____

정답 : _____

2. 계산해 보세요.

$4 \times 6 + 4 =$ _____

$4 \times 7 =$ _____

$4 \times 9 - 4 =$ _____

$4 \times 8 =$ _____

14. 그림을 보고 곱셈식을 2가지 방법으로 나타낸 후 계산해 보세요.

_____ × _____ = _____

_____ × _____ = _____

_____

_____

_____

_____

15. 아래 지시에 따라 토끼를 움직여 보세요. 지나간 길은 ☐ 안에 X표 해 보세요.

 1

 4

☐ 2

☐ 2

☐ 3

☐ 1

☐ 4

☐ 2

☐ 3

☐ 2

☐ 4

☐ 2

명령어

1 = 1칸 앞으로

2 = 2칸 앞으로

3 = 오른쪽으로
   방향을 바꿔요.

4 = 왼쪽으로 방향을
   바꿔요.

토끼가 찾은 것은 _____

16. 빈칸에 알맞은 수를 구해 보세요.

$3 \times 4 =$ _____ $\times 6$ | $6 \times 4 +$ _____ $= 7 \times 4$ | $7 \times 4 -$ _____ $= 5 \times 4$

$6 \times 4 =$ _____ $\times 8$ | $8 \times 3 +$ _____ $= 4 \times 8$ | $9 \times 4 -$ _____ $= 8 \times 4$

$9 \times 2 =$ _____ $\times 3$ | $9 \times 4 +$ _____ $= 3 \times 15$ | $4 \times 9 -$ _____ $= 3 \times 8$

17. 아래 글을 읽고 주사위 눈을 바르게 그려 넣어 보세요.

- 세 주사위 눈을 합하면 13이에요.
- 가운데 주사위 눈의 수가 가장 커요.
- 양 끝 두 주사위 눈을 곱하면 16이에요.

- 가운데 주사위 눈의 수는 첫 번째 주사위 눈의 수와 같아요.
- 두 주사위 눈을 곱하면 24가 나와요.
- 마지막 주사위 눈의 수가 가장 작아요.

곱셈 놀이

인원 : 2명   준비물 : 주사위 2개, 2가지 색의 색연필

✏️ **놀이 방법**

1. 순서를 정해 번갈아 가며 주사위 2개를 굴려요.

2. 두 주사위 눈의 수를 곱한 후, 그 값을 곱셈표에서 찾아 색칠하고 순서를 바꿔요.

3. 곱셈값을 못 찾거나, 이미 색칠되어 있어도 순서를 바꿔요.

4. 놀이를 10회까지 한 후 더 많은 칸을 색칠한 사람이 이겨요.

★ 111쪽 활동지로 한 번 더 놀이해요!

1	2	3	4	5	6
2	4	6	8	10	12
3	6	9	12	15	18
4	8	12	16	20	24
5	10	15	20	25	30
6	12	18	24	30	36

18. 그림을 보고 덧셈식과 곱셈식으로 나타낸 후 계산해 보세요.

200원+200원 =   원

200원×2 =   원

19. 그림으로 그린 후, 곱셈식을 쓰고 답을 구해 보세요.

❶ 지갑이 5개 있어요. 각 지갑마다 400원씩 들어 있어요. 지갑 5개에 든 돈은 모두 얼마인가요?

식 :

정답 :

❷ 지갑이 4개 있어요. 각 지갑마다 500원씩 들어 있어요. 지갑 4개에 든 돈은 모두 얼마인가요?

식 :

정답 :

20. 계산한 후 정답에 해당하는 알파벳을 찾아 써넣으세요.

8 × 5 = _____ ☐   2 × 4 = _____ ☐   4 × 3 = _____ ☐

3 × 4 = _____ ☐   4 × 4 = _____ ☐   4 × 5 = _____ ☐

                                        2 × 8 = _____ ☐

8 × 3 = _____ ☐   2 × 9 = _____ ☐

9 × 4 = _____ ☐   2 × 6 = _____ ☐   6 × 3 = _____ ☐

4 × 7 = _____ ☐   4 × 9 = _____ ☐   6 × 2 = _____ ☐

                    5 × 3 = _____ ☐   4 × 10 = _____ ☐

9 × 2 = _____ ☐   4 × 0 = _____ ☐   7 × 4 = _____ ☐

8 × 4 = _____ ☐   3 × 6 = _____ ☐

5 × 4 = _____ ☐

4 × 6 = _____ ☐

8 × 3 = _____ ☐

4 × 1 = _____ ☐

	0	4	8	12	15	16	18	20	24	28	32	36	40
	Y	L	W	T	D	E	S	H	O	R	C	U	A

 한 번 더 연습해요!

1. 지갑이 7개 있어요. 각 지갑마다 400원씩 들어 있어요. 지갑 7개에 든 돈은 모두 얼마인가요?

식 : _____

정답 : _____

2. 계산해 보세요.

4 × 3 = _____

4 × 7 = _____

4 × 9 = _____

4 × 6 = _____

4 × 5 = _____

4 × 4 = _____

21. 그림이 들어간 식을 보고 그림의 값을 구해 보세요.

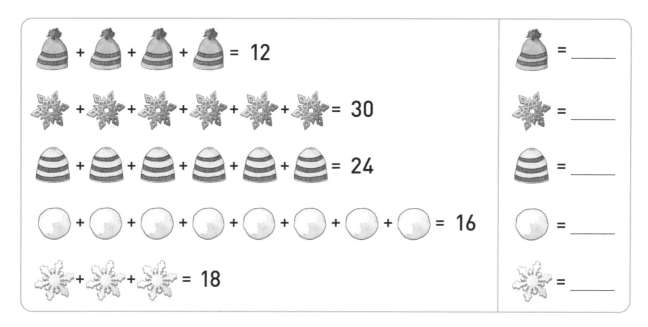

22. 표를 보고 알파벳을 찾아 써넣으세요.

6	H	M	N	S	O	I	N
5	S	A	R	O	T	E	I
4	N	U	D	S	I	A	E
3	S	A	K	T	T	E	I
2	W	H	O	B	A	S	R
1	C	K	W	O	S	N	N
	A	B	C	D	E	F	G

F6	G6		D3	A6	F3		D4	F1	D1	A2	A5	E3	E6	C5	B6

B1	B3	A3	F2	G3	F5		A1	G2	B5	E1	B2	G4	C4

G5	G1	E5	C2		F4		D6	A4	D5	C1	D2	E2	C6	C3

23. □ 안에 >, =, <를 알맞게 써넣어 보세요.

5 × 4 □ 20   3 × 4 □ 9 + 5   4 × 6 □ 31 − 5

4 × 4 □ 15   8 × 4 □ 24 + 8   4 × 2 □ 35 − 30

9 × 4 □ 36   7 × 4 □ 18 + 9   4 × 9 □ 84 − 45

24. 중앙에 있는 수와 파란색 수를 곱한 값을 □ 안에 써넣어 보세요.

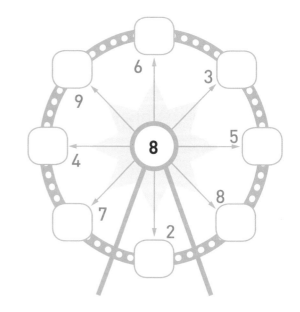

25. 아래 글을 읽고 인형의 주인을 알아맞혀 보세요.

- 마벨의 인형은 2단, 5단, 10단에서 찾을 수 있어요.

- 토니의 인형은 2단, 5단, 10단에서 찾을 수 있어요. 토니의 인형은 마벨 인형 수의 2배와 같아요.

- 오스카의 인형은 3단과 4단에서 찾을 수 있어요.

- 시에나의 인형은 3단과 4단에서 찾을 수 있어요. 이 수는 18보다 작아요.

- 앨리스의 인형에 12를 더하면 로즈 인형의 수와 같아요.

12

20

24

40

68

80

3 곱셈과 나눗셈의 관계

나누어지는   나누는
수   수   몫

$12 \div 3 = 4$

검산은 곱셈식을 이용해요.

$4 \times 3 = 12$

1. 과일을 3묶음으로 나눈 뒤 나눗셈식으로 나타내 보세요. 검산도 해 보세요.

$6 \div 3 =$
_____

검산 : $2 \times 3 =$
_____

_____

검산 :
_____

2. 과일을 4묶음으로 나눈 뒤 나눗셈식으로 나타내 보세요. 검산도 해 보세요.

_____

검산 :

_____

검산 :

3. 계산해 보세요.

$4 × 2 =$ _____ | $5 × 2 =$ _____ $3 × 3 =$ _____

$8 ÷ 2 =$ _____ | $10 ÷ 2 =$ _____ $9 ÷ 3 =$ _____

$8 × 2 =$ _____ | $5 × 3 =$ _____ $3 × 4 =$ _____

$16 ÷ 2 =$ _____ | $15 ÷ 3 =$ _____ $12 ÷ 4 =$ _____

4. 계산해 보세요.

18

3   6

$3 × 6 =$ ☐

$6 × 3 =$ ☐

$18 ÷ 3 =$ ☐

$18 ÷ 6 =$ ☐

24

6   4

$6 × 4 =$ ☐

$4 × 6 =$ ☐

$24 ÷ 6 =$ ☐

$24 ÷ 4 =$ ☐

한 번 더 연습해요!

1. 계산해 보세요.

$2 × 9 =$ ☐ $4 × 5 =$ ☐ $7 × 3 =$ ☐

$9 × 2 =$ ☐ $5 × 4 =$ ☐ $3 × 7 =$ ☐

$18 ÷ 2 =$ ☐ $20 ÷ 4 =$ ☐ $21 ÷ 7 =$ ☐

$18 ÷ 9 =$ ☐ $20 ÷ 5 =$ ☐ $21 ÷ 3 =$ ☐

5. 계산한 후 정답에 해당하는 알파벳을 찾아 써넣으세요.

10 = 5 × _____ ☐   14 = 7 × _____ ☐   90 = 9 × _____ ☐

12 = 4 × _____ ☐   25 = 5 × _____ ☐   0 = 8 × _____ ☐

20 = 10 × _____ ☐   32 = 8 × _____ ☐   36 = 6 × _____ ☐

9 = 3 × _____ ☐   28 = 7 × _____ ☐   45 = 9 × _____ ☐

27 = 3 × _____ ☐   35 = 7 × _____ ☐   48 = 8 × _____ ☐

36 = 9 × _____ ☐   10 = 10 × _____ ☐   0 = 10 × _____ ☐

70 = 10 × _____ ☐   28 = 4 × _____ ☐

64 = 8 × _____ ☐

	0	1	2	3	4	5	6	7	8	9	10
	O	G	C	U	B	A	T	E	R	M	P

6. 수 가족으로 곱셈식과 나눗셈식을 완성해 보세요.

12

3   4

3 × ☐ = ☐

4 × ☐ = ☐

12 ÷ ☐ = ☐

12 ÷ ☐ = ☐

24

3   8

☐ × ☐ = ☐

☐ × ☐ = ☐

☐ ÷ ☐ = ☐

☐ ÷ ☐ = ☐

7. 평면도형의 꼭짓점 수는 모두 같아요. 가운데 수는 꼭짓점 수의 합과 같아요. 빈칸에 알맞은 수를 써 보세요.

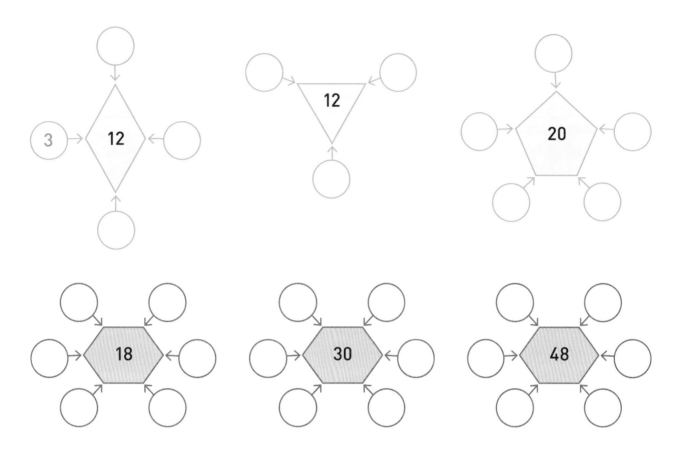

8. 아래 글을 읽고 썰매의 주인을 알아맞혀 보세요.

- 오토의 썰매는 3단과 4단에서 찾을 수 있어요.
- 로렌스의 썰매는 4단에서 찾을 수 있어요.
- 토미의 썰매에서 6을 뺀 수는 5단과 10단에서 찾을 수 있어요.

- 32를 4로 나누면 에릭 썰매의 수와 같아요.
- 24를 2로 나누면 브레드 썰매의 수와 같아요.
- 27을 3으로 나누면 알렉스 썰매의 수와 같아요.

_____ _____ _____ _____ _____ _____

9. 그림을 보고 곱셈식으로 계산해 보세요.

_____

_____

_____

_____

10. 규칙에 따라 수를 써넣어 보세요.

0	3	6								30

0	4	8								40

30	27	24								0

40	36	32								0

11. 계산해 보세요.

$3 \times 2 =$ _____ $8 \times 4 - 4 =$ _____ $6 \div 2 =$ _____

$4 \times 2 =$ _____ $4 \times 8 - 8 =$ _____ $10 \div 5 =$ _____

$6 \times 3 =$ _____ $9 \times 3 + 3 =$ _____ $12 \div 3 =$ _____

$7 \times 4 =$ _____ $3 \times 9 + 9 =$ _____ $16 \div 4 =$ _____

12. 그림으로 그린 후, 곱셈식을 쓰고 답을 구해 보세요.

❶ 교실에 책상이 3개 있어요. 각 책상마다 종이가 7장씩 있어요. 책상에 있는 종이는 모두 몇 장인가요?

식 : _____

정답 : _____

❷ 필통에 연필이 21개 들어 있어요. 연필을 책상 3개에 똑같이 나눈다면 책상 1개에 몇 개의 연필을 두어야 하나요?

식 : _____

정답 : _____

❸ 옷걸이에 외투가 4벌 걸려 있어요. 외투마다 단추를 8개씩 달아야 해요. 단추가 모두 몇 개 필요한가요?

식 : _____

정답 : _____

❹ 의자 32개를 교실 4곳에 똑같이 나눠서 가져다 놓아야 해요. 한 교실당 몇 개의 의자를 가져가야 할까요?

식 : _____

정답 : _____

 한 번 더 연습해요!

1. 책상 3개가 있는데, 책상 1개당 자를 6개씩 두어야 해요. 자가 모두 몇 개 필요한가요?

식 : _____

정답 : _____

2. 계산해 보세요.

$2 \times 3 + 8 =$ _____

$3 \times 2 + 9 =$ _____

$9 \times 4 - 9 =$ _____

$4 \times 9 - 7 =$ _____

$8 \times 3 + 8 =$ _____

13. 그림을 보고 곱셈식을 계산해 보세요.

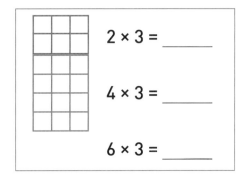

2 × 3 = _____

4 × 3 = _____

6 × 3 = _____

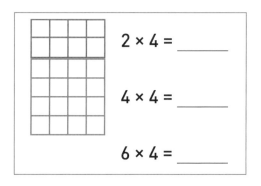

2 × 4 = _____

4 × 4 = _____

6 × 4 = _____

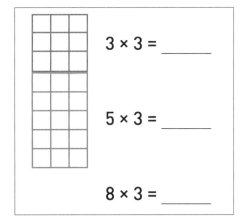

3 × 3 = _____

5 × 3 = _____

8 × 3 = _____

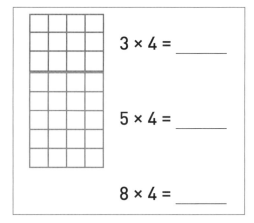

3 × 4 = _____

5 × 4 = _____

8 × 4 = _____

14. 2개의 모자, 3개의 티셔츠, 3개의 반바지가 있어요. 토끼가 입을 수 있는 모든 경우의 옷차림을 색칠해 보세요.

토끼의 옷장 :

15. □ 안에 알맞은 수를 넣어 곱셈 계단을 완성해 보세요.

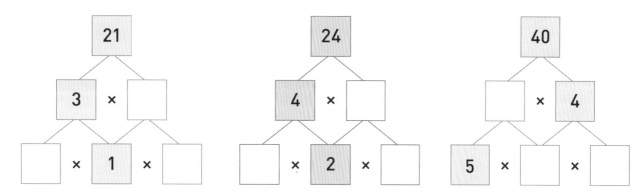

16. 곱셈식을 생각하며 빈칸을 채워 보세요.

×	3			7		8
	6					
1					6	
				21		
5			45			
4		20				
						80

🐿️ **한 번 더 연습해요!**

1. 수 가족을 찾은 후, 곱셈식과 나눗셈식을 완성해 보세요.

1. 규칙에 따라 수를 써넣어 보세요.

0	3	6								30

0	4	8								40

2. 그림을 보고 곱셈식을 완성해 보세요.

_____ × _____ = _____

_____

_____

_____

3. 그림으로 그린 후, 곱셈식을 쓰고 답을 구해 보세요.

3의 4배

_____

4의 5배

_____

4. 계산해 보세요.

3 × 3 = _____   4 × 2 = _____   3 × 7 + 10 = _____

3 × 5 = _____   4 × 3 = _____   3 × 8 − 12 = _____

8 × 3 = _____   7 × 4 = _____   4 × 0 + 17 = _____

5. 수 가족을 이용해서 곱셈식과 나눗셈식을 완성해 보세요.

$$7 \times 3 = \boxed{}$$

$$3 \times 7 = \boxed{}$$

$$21 \div 7 = \boxed{}$$

$$21 \div 3 = \boxed{}$$

$$8 \times 4 = \boxed{}$$

$$4 \times 8 = \boxed{}$$

$$32 \div 8 = \boxed{}$$

$$32 \div 4 = \boxed{}$$

6. 빈칸에 알맞은 수를 구해 보세요.

$3 \times \underline{\hspace{2cm}} = 15$ $4 \times \underline{\hspace{2cm}} = 4$ $3 \times \underline{\hspace{2cm}} = 21$

$3 \times \underline{\hspace{2cm}} = 24$ $4 \times \underline{\hspace{2cm}} = 16$ $3 \times \underline{\hspace{2cm}} = 27$

$3 \times \underline{\hspace{2cm}} = 12$ $4 \times \underline{\hspace{2cm}} = 40$ $4 \times \underline{\hspace{2cm}} = 36$

$3 \times \underline{\hspace{2cm}} = 0$ $4 \times \underline{\hspace{2cm}} = 20$ $4 \times \underline{\hspace{2cm}} = 24$

7. 그림을 그리고 식과 답을 구해 보세요.

야구 선수를 3그룹으로 나누었어요. 한 그룹에 6명씩 있다면 야구 선수는 모두 몇 명인가요?

식 : _____

정답 : _____

얼마나 잘했나요?

실력이 자란 만큼 별을 색칠하세요.

☆ ☆ ☆

★★★ 정말 잘했어요.

★★☆ 꽤 잘했어요.

★☆☆ 계속 노력할게요.

단원 평가

1

3단에는 노란색, 4단에는 파란색을 색칠해 보세요.

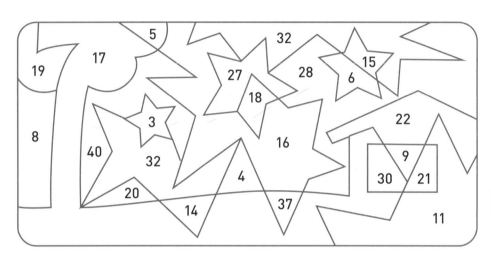

2

□ 안에 >, =, <를
알맞게 써넣어 보세요.

4×6 □ 23

3×3 □ 7 + 3

3×6 □ 17

4×9 □ 36

3×8 □ 15 + 15

3×9 □ 40 − 13

3

똑같이 그려 보세요.

로봇의 작동 원리를 알아낸 후, 알맞은 수를 구해 보세요.

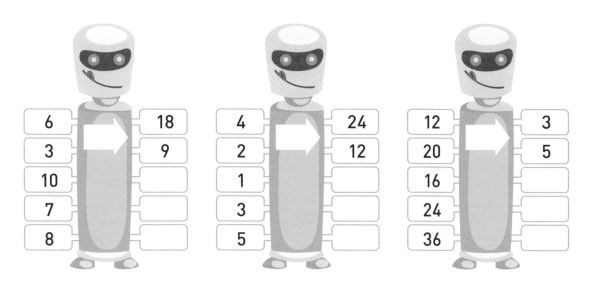

6	→	18
3		9
10		
7		
8		

4	→	24
2		12
1		
3		
5		

12	→	3
20		5
16		
24		
36		

5 ★★★

그림이 들어간 식을 보고 그림의
값을 구해 보세요.

$$ \text{(크리스탈)} \times \text{(사탕)} = 18 $$

$$ \text{(뼈)} \times \text{(사탕)} = 18 $$

$$ \text{(뼈)} - \text{(사탕)} = 7 $$

$$ \text{(사탕)} - \text{(크리스탈)} - \text{(사탕)} = 1 $$

(크리스탈) = _____

(사탕) = _____

(뼈) = _____

(사탕) = _____

1. 곱셈표를 완성해 보세요.

×	3	6
5		
6		
7		
8		
9		

×	4	8
5		
6		
7		
8		
9		

×	7	9
5		
6		
7		
8		
9		

2. □ 안에 >, =, <를 알맞게 써넣어 보세요.

$21 \div 7$ □ 2 $40 \div 4$ □ 3×3 $24 \div 3$ □ $32 \div 4$

$24 \div 8$ □ 3 $32 \div 4$ □ 2×5 $36 \div 9$ □ $28 \div 4$

$25 \div 5$ □ 6 $40 \div 2$ □ 7×3 $36 \div 6$ □ $35 \div 7$

3. 물건의 가격을 구해 보세요.

총 가격 39€   총 가격 25€

_____€

_____€

총 가격 60€   총 가격 46€

_____€

_____€

*€는 유럽 연합에서 사용하는 화폐 단위예요. 유로라고 읽어요.

4. 그림이 들어간 식을 보고 그림의 값을 구해 보세요.

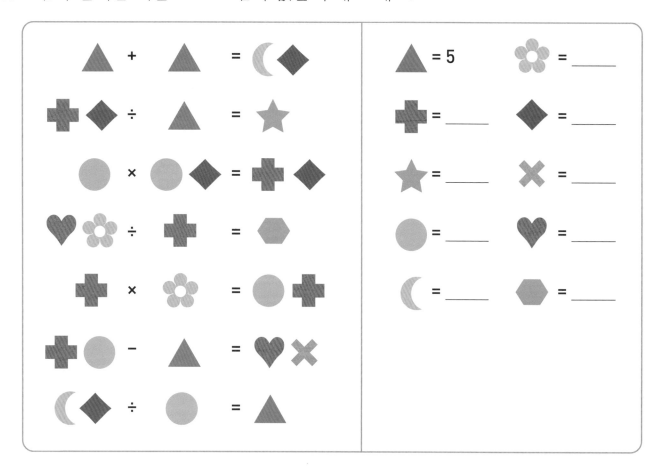

5. 84쿠폰으로 주어진 물건을 몇 개 살 수 있나요?

_____ 개   _____ 개   _____ 개   _____ 개

6. 막대 사탕의 개수를 알아맞혀 보세요.

- 막대 사탕의 개수는 10개보다 많고 30개보다 작아요.
- 5명의 아이들에게 막대 사탕을 나누어 주면 4개가 남아요.
- 6명의 아이들에게 막대 사탕을 나누어 주면 짝수 개수를 받게 돼요.

정답 : _____ 개

4 덧셈의 결합 법칙

결합 법칙이란, 세 수의 합을 구할 때 앞의 두 수 또는 뒤의 두 수를 먼저 더한 후 나머지 한 수를 더해도 결과가 같다는 법칙이야.

덧셈에서는 순서를 바꿔서 더해도 결과값은 같다는 말이구나~!

$37 + 5 + 3 = 45$

$(37 + 3) + 5 = 45$

몇십이 되도록 순서를 바꾸어 더해도 답은 같아요.

1. 10을 만들어서 계산해 보세요.

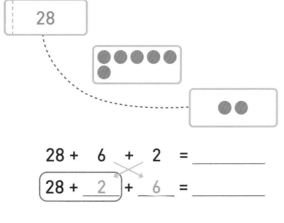

28

$28 + \ 6 \ + \ 2 \ = \ \underline{\hspace{2cm}}$

$(28 + \ \underline{2}\ ) + \ \underline{6}\ = \ \underline{\hspace{2cm}}$

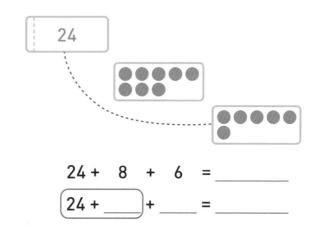

24

$24 + \ 8 \ + \ 6 \ = \ \underline{\hspace{2cm}}$

$(24 + \underline{\hspace{1cm}}) + \underline{\hspace{1cm}} = \underline{\hspace{2cm}}$

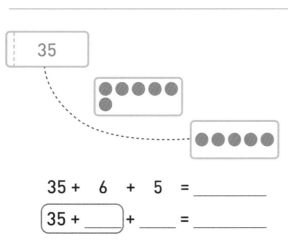

35

$35 + \ 6 \ + \ 5 \ = \ \underline{\hspace{2cm}}$

$(35 + \underline{\hspace{1cm}}) + \underline{\hspace{1cm}} = \underline{\hspace{2cm}}$

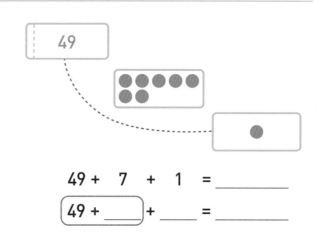

49

$49 + \ 7 \ + \ 1 \ = \ \underline{\hspace{2cm}}$

$(49 + \underline{\hspace{1cm}}) + \underline{\hspace{1cm}} = \underline{\hspace{2cm}}$

2. 몇십을 만들 수 있는 수끼리 색칠한 후 계산해 보세요.

3. 계산해 보세요.

6 + 12 + 24 = _____

13 + 24 + 7 = _____

19 + 31 + 17 = _____

5 + 5 + 10 + 2 = _____

6 + 6 + 18 + 7 = _____

1 + 7 + 7 + 26 = _____

 한 번 더 연습해요!

1. 10을 만들어서 계산해 보세요.

56 + 8 + 4 = _____

56 + ___ + ___ = _____

2. 계산해 보세요.

1 + 19 + 16 = ____

5 + 8 + 35 = ____

31 + 4 + 36 = ____

9 + 23 + 27 = ____

7 + 7 + 10 + 6 = ____

18 + 12 + 3 + 4 = ____

23 + 18 + 6 + 6 = ____

50 + 9 + 9 + 2 = ____

4. 계산값에 맞게 색칠해 보세요.

5. 그림이 들어간 식을 보고 그림의 값을 구해 보세요.

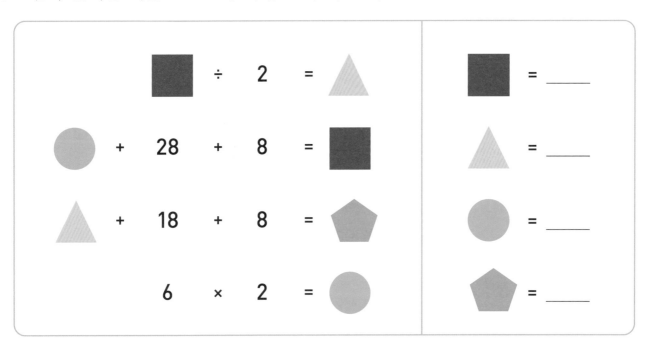

6. 가로와 세로의 합은 항상 73이 되도록 빈칸을 채워 보세요.

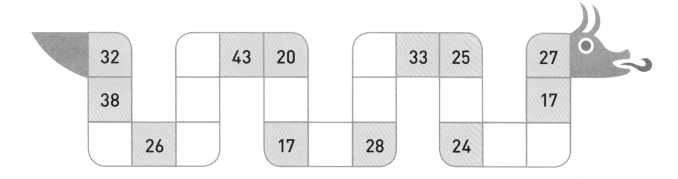

7. 그래프를 보고 식을 쓴 후, 답을 구해 보세요.

❶ 새우, 네온테트라, 베타는
모두 몇 마리인가요?

식 : _____

정답 : _____

❷ 금붕어, 구피, 엔젤피시는
모두 몇 마리인가요?

식 : _____

정답 : _____

❸ 새우는 구피보다 몇 마리
더 많은가요?

식 : _____

정답 : _____

❹ 베타와 구피의 합은 금붕어보다
몇 마리 더 많은가요?

식 : _____

정답 : _____

5 몇십 몇 더하기

					십의 자리	일의 자리
3	8	+	2	5	= 6	3

1. 보기처럼 그림을 그려 계산해 보세요.

37 + 24 = _____

36 + 16 = _____

48 + 14 = _____

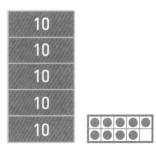

59 + 25 = _____

2. 계산해 보세요.

몇십끼리 더하고 일의 자리끼리 더하는 방법이야.

29 + 14

48 + 23

47 + 35

더하는 수를 몇십과 일의 자리로 분리해서 더하는 방법이야.

20 + 10 + 9 + 4 = _____

40 + 20 + 8 + 3 = _____

40 + 30 + 7 + 5 = _____

29 + 10 + 4 = _____

48 + 20 + 3 = _____

47 + 30 + 5 = _____

3. 계산해 보세요.

30 + 20 + 9 + 6 = _____

39 + 26 = _____

20 + 40 + 7 + 7 = _____

27 + 47 = _____

26 + 40 + 5 = _____

26 + 45 = _____

68 + 20 + 7 = _____

68 + 27 = _____

38 + 23 = _____

35 + 47 = _____

59 + 29 = _____

49 + 18 = _____

 한 번 더 연습해요!

1. 그림을 그려 계산해 보세요.

46 + 27 = _____

38 + 38 = _____

2. 계산해 보세요.

16 + 5 = _____

36 + 15 = _____

46 + 25 = _____

56 + 35 = _____

18 + 7 = _____

28 + 17 = _____

4. 그림을 보고 돈의 합이 얼마인지 구해 보세요.

_____   _____

_____   _____

5. 계산값을 찾아 색칠해 보세요.

25 + 14 = _____

65 + 15 = _____

75 + 16 = _____

36 + 35 = _____

46 + 16 = _____

26 + 57 = _____

77 + 16 = _____

27 + 37 = _____

37 + 48 = _____

6. 표를 보고 식을 쓴 후, 답을 구해 보세요.

열대 초원의 동물들		
초식 동물	어미	새끼
코뿔소	35	27
얼룩말	57	38
기린	48	35
육식 동물	어미	새끼
치타	29	69
사자	36	47

① 코뿔소는 몇 마리인가요?

식 :

정답 :

② 사자는 몇 마리인가요?

식 :

정답 :

③ 얼룩말은 몇 마리인가요?

식 :

정답 :

④ 초식 동물의 새끼는 모두 몇 마리인가요?

식 :

정답 :

⑤ 육식 동물의 새끼는 모두 몇 마리인가요?

식 :

정답 :

7. 그림이 들어간 식을 보고 그림의 값을 구해 보세요.

 = _____

 = _____

 = _____

6 빼지는 수 구하기

처음 수에서
다른 수를 뺄 때,
그 처음 수를
빼지는 수라고 해~!

| 10 |
| 10 |
| 10 |

___37___ – 12 = 25

빼지는 수 구하는 법 : 25 + 12 = ___37___

1. 빼지는 수를 구해 보세요.

_____ – 17 = 11

빼지는 수 : 11 + 17 = _____

_____ – 22 = 14

빼지는 수 : 14 + 22 = _____

_____ – 13 = 26

빼지는 수 : 26 + 13 = _____

2. 수 가족을 이용해서 덧셈식과 뺄셈식을 완성해 보세요.

32 + ☐ = ☐

27 + ☐ = ☐

☐ − 27 = 32

☐ − 32 = 27

53 + ☐ = ☐

34 + ☐ = ☐

☐ − 34 = 53

☐ − 53 = 34

3. 빼지는 수를 구해 보세요.

_____ − 23 = 52

빼지는 수 : 52 + 23 = _____

_____ − 25 = 13

_____ − 22 = 24

_____ − 41 = 26

_____ − 31 = 41

_____ − 14 = 46

빼지는 수 : 46 + 14 = _____

_____ − 62 = 23

_____ − 24 = 73

한 번 더 연습해요!

1. 수 가족을 이용해서 덧셈식과 뺄셈식을 완성해 보세요.

43 + ☐ = ☐

25 + ☐ = ☐

☐ − 25 = 43

☐ − 43 = 25

2. 빼지는 수를 구해 보세요.

_____ − 23 = 26

_____ − 56 = 11

_____ − 61 = 24

_____ − 33 = 23

_____ − 42 = 38

_____ − 21 = 73

4. 빼지는 수를 구한 후, 정답에 해당하는 알파벳을 찾아 써넣으세요.

□ _____ – 62 = 24	□ _____ – 15 = 60	
□ _____ – 21 = 36	□ _____ – 71 = 18	
□ _____ – 75 = 22	□ _____ – 68 = 10	
□ _____ – 12 = 54	□ _____ – 50 = 48	
□ _____ – 23 = 76	□ _____ – 17 = 71	
□ _____ – 17 = 72	□ _____ – 46 = 24	
□ _____ – 16 = 57	□ _____ – 35 = 63	
□ _____ – 33 = 37		

57	66	70	73	75	78	86	88	89	97	98	99
O	D	H	S	P	R	G	N	I	L	A	F

5. 그림이 들어간 식을 보고 그림의 값을 구해 보세요.

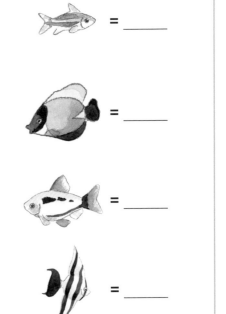

6. 필요 없는 조건의 문장을 찾아 줄을 그어 지운 후, 문제를 풀어 보세요.

❶ 스튜어트는 수족관을 만들기 위해 물고기를 샀어요. 물고기는 구피와 엔젤피시로 샀어요. 물고기를 사는 데 35유로를 썼더니 지갑에 44유로가 남았어요. 처음에 가지고 있던 돈은 얼마였나요?

❷ 기니피그 27마리와 햄스터 91마리가 애완동물 가게에 있어요. 기니피그는 우리 3군데에 나뉘어 있어요. 햄스터는 기니피그보다 몇 마리 더 많나요?

❸ 수족관에 금붕어 64마리와 구피 26마리가 있어요. 금붕어와 구피의 절반은 팔렸고, 240리터의 물이 가게에 남았어요. 수족관에 남은 물고기는 몇 마리인가요?

❹ 엘리스는 수족관을 만들기 위해 물고기를 사는 데 29유로를, 필터를 사는 데 45유로를 썼어요. 엘리스는 봉지 2개에 물고기와 필터를 담아 왔어요. 엘리스에게 남은 돈이 27유로라면 처음에 가지고 있던 돈은 얼마였나요?

놀이 수학

책 뒤에 있는 놀이 카드를 이용하세요.

사라진 돈을 맞혀라

인원 : 2명   준비물 : 모형 돈

✎ 놀이 방법

1. 500원짜리 2개와 100원짜리 10개를 가운데 두어요.

2. 가위바위보를 해서 진 사람은 눈을 감고, 이긴 사람은 가운데 둔 2000원에서 원하는 만큼 돈을 가져와 숨겨요.

3. 눈을 감았던 사람은 얼마를 숨겼는지 계산해서 말해요.

4. 숨긴 돈이 얼마인지 확인한 후 순서를 바꿔요.

5. 놀이가 익숙해지면 돈의 액수를 더 크게 정해서 반복하며 놀아요.

7 받아 내림이 있는 뺄셈

빼는 수의 일의 자리 수가
빼지는 수보다 클 경우
윗자리에서 10을 받아
내림하여 빼요.

						십의 자리	일의 자리
5	4	−	2	6	=	2	8

1. 그림을 지워 가며 계산해 보세요.

43 − 27 = _____

52 − 15 = _____

55 − 36 = _____

61 − 23 = _____

2. 계산해 보세요.

63 – 20 – 4 = _____   54 – 10 – 8 = _____

63 – 24 = _____   54 – 18 = _____

71 – 40 – 5 = _____   95 – 20 – 7 = _____

71 – 45 = _____   95 – 27 = _____

82 – 30 – 7 = _____   73 – 50 – 9 = _____

82 – 37 = _____   73 – 59 = _____

3. 계산해 보세요.

12 – 4 = _____   11 – 6 = _____   14 – 7 = _____

32 – 14 = _____   41 – 16 = _____   64 – 17 = _____

52 – 24 = _____   61 – 26 = _____   84 – 27 = _____

72 – 34 = _____   81 – 36 = _____   94 – 37 = _____

 한 번 더 연습해요!

1. 그림을 지워 가며 계산해 보세요.

65 – 29 = _____   53 – 35 = _____

2. 계산해 보세요.

13 – 6 = _____

33 – 16 = _____

53 – 26 = _____

16 – 8 = _____

46 – 18 = _____

76 – 28 = _____

4. 계산값이 같은 것끼리 이어 보세요.

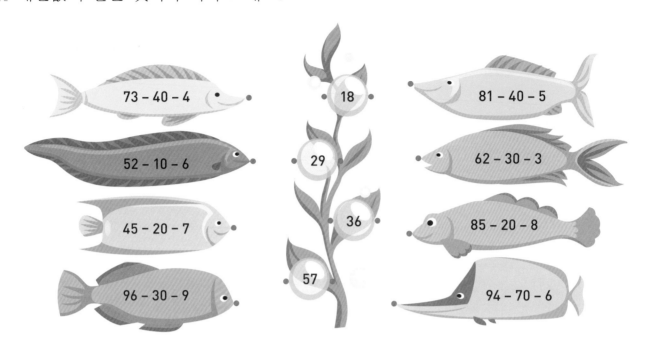

5. 뺄셈 결과가 맞는지 덧셈식을 이용해서 검산해 보세요. 검산 후 맞으면 ○표를, 틀리면 X표 해 보세요.

34 – 18 = 16　○

검산 : <u> 16 </u> + <u> 18 </u> = <u> 34 </u>

42 – 14 = 26　☐

검산 : ___ + ___ = ___

51 – 27 = 24　☐

검산 : ___ + ___ = ___

63 – 45 = 28　☐

검산 : ___ + ___ = ___

75 – 36 = 37　☐

검산 : ___ + ___ = ___

82 – 19 = 63　☐

검산 : ___ + ___ = ___

6. 규칙에 따라 수를 써넣어 보세요.

7. ❶ 손목시계의 가격을 구해 보세요.

총 가격 57€

총 가격 81€

총 가격 45€

_____

❷ 알람시계의 가격을 구해 보세요.

총 가격 43€

총 가격 79€

총 가격 89€

_____

8. 그림이 들어간 식을 보고 그림의 값을 구해 보세요.

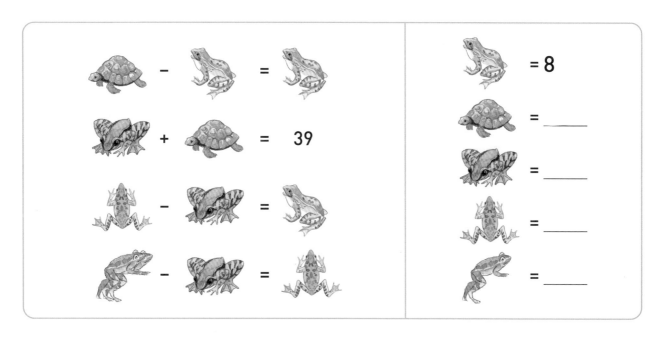

= 8

= _____

= _____

= _____

= _____

9. 계산값이 같은 것끼리 이어 보세요.

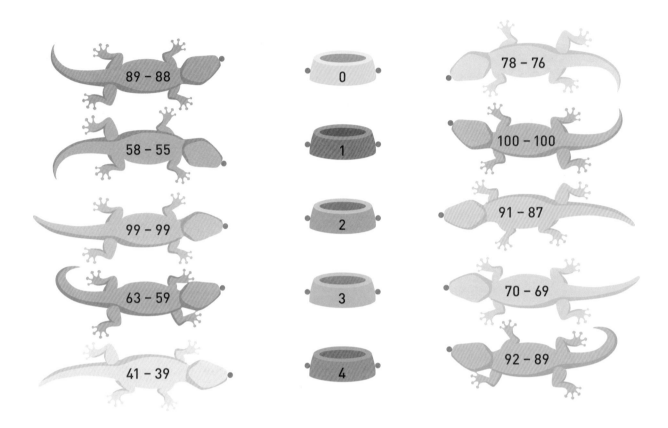

10. 일의 자리 수가 십의 자리 수보다 작은 수를 찾아 색칠해 보세요.

11	12	13	14	15	16	17	18	19
21	22	23	24	25	26	27	28	29
31	32	33	34	35	36	37	38	39
41	42	43	44	45	46	47	48	49
51	52	53	54	55	56	57	58	59
61	62	63	64	65	66	67	68	69
71	72	73	74	75	76	77	78	79
81	82	83	84	85	86	87	88	89
91	92	93	94	95	96	97	98	99

11. 아래 글을 읽고 열쇠 주인을 알아맞혀 보세요.

_____   _____   _____   _____   _____

- 토미의 열쇠는 아만다의 열쇠보다 구슬 개수가 2개 더 많아요.
- 미나와 알렉스의 열쇠는 파란색 구슬의 개수가 같아요.
- 아만다와 미나의 열쇠는 노란색 구슬의 개수가 같아요.
- 알렉스의 열쇠는 파란색 구슬과 노란색 구슬의 개수가 같아요.
- 케빈과 토미의 열쇠는 파란색 구슬의 개수가 같아요.

12. 로봇의 작동 원리를 알아낸 후, 알맞은 수를 구해 보세요.

8 세로셈 덧셈

세로셈을 할 때는 같은
자리끼리 더해야 해서
꼭 줄을 잘 맞추어야 해~!

	십의 자리	일의 자리
	4	3
+	3	6
	7	9

세로셈 덧셈에서는 일의 자리부터 더한 후, 십의 자리끼리 더해요.

1. 수 막대를 보고 세로셈을 계산해 보세요.

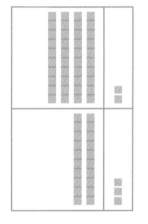

	4	2
+	2	3

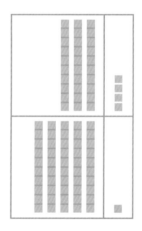

	3	4
+	5	1

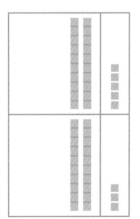

	2	5
+	2	3

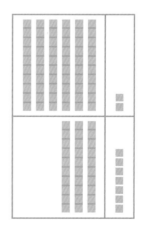

	6	2
+	3	7

2. 세로셈으로 계산한 후, 정답을 찾아 ○표 해 보세요.

31 + 23

	3	1
+	2	3

21 + 42

34 + 25

24 + 54

32 + 41

26 + 32

62 + 17

 54   58   59   63   68   73   78   79

1. 세로셈으로 계산해 보세요.

	1	2
+	6	3

	6	3
+	3	1

	4	2
+	4	4

	5	1
+	4	7

2. 세로셈으로 계산해 보세요.

43 + 33

26 + 71

53 + 15

62 + 25

3. 수 막대를 그린 후, 세로셈으로 계산해 보세요.

42 + 34

62 + 32

31 + 54

52 + 15

4. 계산값에 맞게 색칠해 보세요.   44 < ◯ < 54   ◯ = 54   54 < ◯ < 64

21 + 33

67 − 13

14 + 40

29 + 21

48 + 12

42 + 12

86 − 35

73 − 20

43 + 12

23 + 23

79 − 17

96 − 40

84 − 23

69 − 18

86 − 32

22 + 34

34 + 14

78 − 24

5. ☐ 안에 알맞은 수를 구해 보세요.

	3	0
+		
	5	3

	1	1
+		
	6	7

	5	0
+		
	8	0

	9	0
+		
	9	8

+	6	3
	9	4

+	7	3
	7	8

+	2	0
	8	9

+	2	4
	7	9

6. 규칙을 알아낸 후, 빈칸에 알맞은 수를 구해 보세요.

11	13	12
15	17	16
26		28

20	16	36
17	16	33
	16	35

16	20	11
10	32	
21	12	16

14	18	29
16		25
30	41	54

26	18	8
35		20
41	20	21

스스로 문제를 만들어 풀어 보세요.

9 세로셈 뺄셈

	십의 자리	일의 자리
	5	7
−	3	4
	2	3

세로셈 뺄셈에서는 일의 자리부터 뺀 후, 십의 자리끼리 빼요.

1. 수 막대를 지워 가며 세로셈을 계산해 보세요.

	4	5
−	2	1

	5	6
−	1	4

	5	3
−	2	2

	4	8
−	1	2

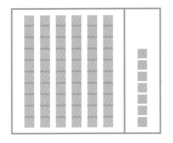

	6	7
−	1	3

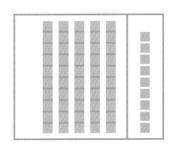

	5	9
−	4	4

2. 세로셈으로 계산한 후, 정답을 찾아 ○표 해 보세요.

36 – 21

	3	6
–	2	1

47 – 24

58 – 27

69 – 12

78 – 54

89 – 43

95 – 42

   15   23   24   31   46   47   53   57

 한 번 더 연습해요!

1. 세로셈으로 계산해 보세요.

	5	8
–	1	4

	9	8
–	2	3

	7	9
–	4	3

	7	9
–	1	5

2. 세로셈으로 계산해 보세요.

78 – 26

99 – 12

68 – 25

98 – 42

71

3. 수 막대를 그린 후, 세로셈으로 계산해 보세요.

 56 − 24

 43 − 32

 62 − 21

 55 − 13

4. 계산값에 맞게 색칠해 보세요.   53 < ● < 63   ● = 63   63 < ● < 73

5. □ 안에 알맞은 수를 구해 보세요.

	8	0
−		
	6	0

	4	8
−		
		1

	9	8
−		
	9	8

	7	9
−		
		0

−		7
	3	2

−		0
	6	1

−	1	6
	4	1

−	4	5
	4	0

6. 규칙을 알아낸 후, 빈칸에 알맞은 수를 구해 보세요.

21	16	15
16	14	24
37		39

32	21	
30	18	12
41	15	26

15	14	
9	30	21
8	16	15

30	29	40
19	13	
11	16	15

97	55	42
75		35
84	48	36

스스로 문제를 만들어 풀어 보세요.

7. 세로셈으로 계산한 후, 정답을 찾아 ○표 해 보세요.

40 + 30

60 + 27

84 + 5

8 + 50

90 − 40

49 − 6

76 − 75

98 − 98

0   1   2   43   50   58   70   87   89

8. □ 안에 +, −를 알맞게 써넣어 보세요.

	5	3
	3	1
	2	2

	6	7
	2	0
	8	7

	4	6
		5
	4	1

	3	5
	1	5
	2	0

9. □ 안에 알맞은 수를 구해 보세요.

	2	3
+		
	3	7

	4	1
+		
	6	8

+	8	4
	8	9

	6	5
−		
	3	1

	7	4
−		
	6	4

−	3	4
	2	4

10. 아래 글을 읽고 식을 쓴 후, 세로셈으로 계산해 보세요.

① 애견 쇼에 푸들 32마리와 스패니얼 26마리가 나왔어요. 애견 쇼에 나온 개는 모두 몇 마리인가요?

식 : _____

정답 : _____

② 애견 쇼에 테리어 54마리와 닥스훈트 35마리가 나왔어요. 애견 쇼에 나온 개는 모두 몇 마리인가요?

식 : _____

정답 : _____

③ 애견 쇼에 슈나우저 49마리가 나왔어요. 퍼그는 슈나우저보다 13마리 적게 나왔어요. 애견 쇼에 나온 퍼그는 몇 마리인가요?

식 : _____

정답 : _____

 한 번 더 연습해요!

1. 세로셈으로 계산해 보세요.

52 + 7   70 + 19   68 - 6   49 - 48

2. □ 안에 알맞은 수를 구해 보세요.

	2	1
+		
	7	9

+	6	3
	9	3

	8	5
-		
	4	3

-	6	4
	1	2

11. 세로셈으로 계산한 후, 아래 그림에서 계산값을 찾아 색칠해 보세요.

53 + 25

30 + 10

79 − 34

89 − 31

53 + 6

50 + 47

99 − 3

80 − 20

23 + 41

21 + 64

89 − 10

78 − 44

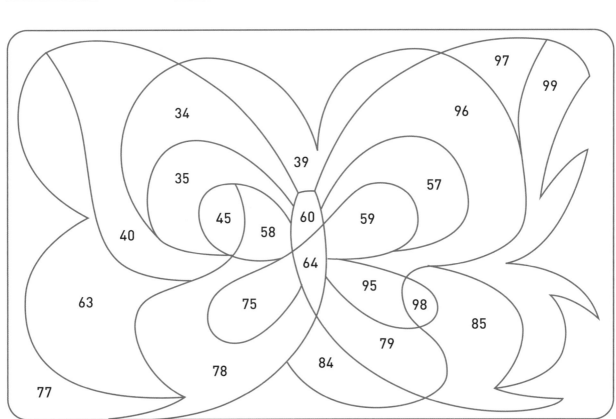

12. 아래 글을 읽고 식을 쓴 후, 세로셈으로 계산해 보세요.

❶ 애견 쇼에 푸들 41마리, 닥스훈트 15마리, 슈나우저 23마리가 나왔어요. 애견 쇼에 나온 개는 모두 몇 마리인가요?

식 : _____

정답 : _____

	4	1
	1	5
+	2	3

❷ 동물 병원에 햄스터 24마리, 앵무새 32마리, 고양이 12마리가 있어요. 동물 병원에 있는 동물은 모두 몇 마리인가요?

식 : _____

정답 : _____

❸ 빨간 접시 21개, 파란 접시 20개, 흰 접시 54개가 그릇장에 들어 있어요. 그릇장에 있는 접시는 모두 몇 개인가요?

식 : _____

정답 : _____

세로셈 계산 놀이

인원 : 2명   준비물 : 0에서 4까지의 수 카드 2세트, +, - 카드

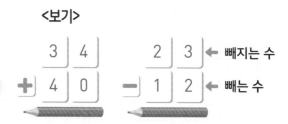

<보기>

	3	4
+	4	0

	2	3	← 빼지는 수
-	1	2	← 빼는 수

✏️ **놀이 방법**

• **덧셈 세로셈**

1. 0에서 4까지의 수 카드 2세트를 섞어서 뒤집어 놓아요.

2. 순서를 정해 교대로 카드를 뽑은 다음 보기처럼 식을 만들어 보세요.

3. 식을 만든 다음 +카드를 놓고 세로셈으로 계산해 보세요.

4. 계산값이 더 큰 사람이 이겨요.

• **뺄셈 세로셈**

1. 0에서 4까지의 수 카드 2세트를 섞어서 뒤집어 놓아요.

2. 순서를 정해 교대로 카드를 뽑은 다음 보기처럼 식을 만들어 보세요.

3. 식을 만든 다음 -카드를 놓고 세로셈으로 계산해 보세요. (빼지는 수를 빼는 수보다 더 크게 해서 식을 만들어요.)

4. 계산값이 더 작은 사람이 이겨요.

책 뒤에 있는 놀이 카드를 이용하세요.

77

13. 주어진 돈에서 물건을 사고 나면 얼마가 남나요? 식을 쓰고 세로셈으로 계산해
  보세요.

식 : _____

	5	9	0	0
−	3	3	0	0

정답 : _____

식 : _____

정답 : _____

식 : _____

정답 : _____

식 : _____

정답 : _____

책 뒤에 있는 모형 돈을 활용하세요.

14. 식을 쓰고 세로셈으로 계산해 보세요. 필요 없는 조건의 문장은 줄로 그어 보세요.

❶ 검은 단추 37개와 파란 단추 61개가 상자 안에 있어요. 상자 안은
3개의 칸막이로 나뉘어 있어요. 상자 안에 들어 있는 단추는
모두 몇 개인가요?

식 : _____

정답 : _____

❷ 상자 안에 공이 84개가 있어요. 각각의 공에는 별무늬가 17개씩
있어요. 공이 42개 팔렸다면 상자 안에 남은 공은 몇 개인가요?

식 : _____

정답 : _____

❸ 곰 인형 68개가 상자 안에 있어요. 토끼 인형은 곰 인형보다 15개
더 적고, 곰 인형의 길이는 35cm와 같아요. 상자 안에 있는 토끼
인형은 몇 개인가요?

식 : _____

정답 : _____

한 번 더 연습해요!

1. 식을 쓰고 세로셈으로 계산해 보세요.
필요 없는 조건의 문장은 줄로 그어 보세요.

실비아는 수족관에서 금붕어 24마리를 샀어요. 어항의 높이는
50cm예요. 실비아가 사기 전에 수족관 어항에는 금붕어가
56마리 있었어요. 어항에 남은 금붕어는 몇 마리인가요?

식 : _____

정답 : _____

2. 계산해 보세요.

26 + 14 = _____

37 + 26 = _____

18 + 78 = _____

13 − 5 = _____

33 − 15 = _____

53 − 25 = _____

15. 계산값이 같은 것끼리 이어 보세요.

16. 세로셈으로 계산한 후, 정답을 찾아 ○표 해 보세요.

25 + 34   21 + 43   53 + 5   32 + 31

74 - 33   57 - 27   73 - 30   89 - 27

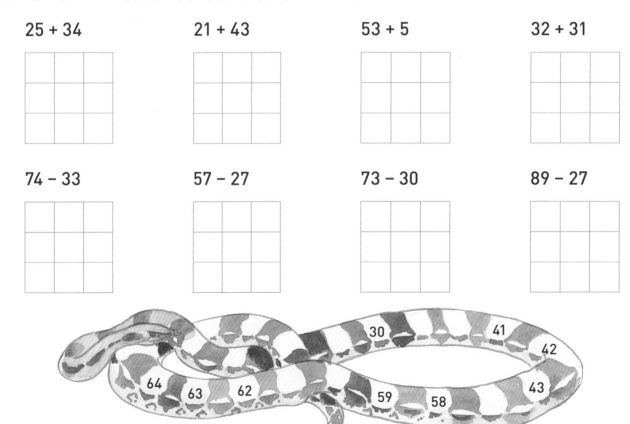

17. 식을 쓴 후, 세 수의 덧셈과 뺄셈을 연속된 세로셈으로 계산해 보세요.

❶ 알렉스 집에 고양이 48마리가 있어요. 월요일에 13마리가 분양되었고, 화요일에는 23마리가 분양될 예정이에요. 알렉스 집에 남는 고양이는 몇 마리인가요?

식 : _____

정답 : _____

❷ 마트에 통조림이 67개 있어요. 목요일에 통조림 41개가 팔렸고, 금요일에는 통조림이 13개 더 진열됐어요. 마트에 남은 통조림은 몇 개인가요?

식 : _____

정답 : _____

❸ 탁자 위에 귤이 34개 있어요. 할머니가 귤을 15개 더 가져다 놓았고, 그중 할아버지가 24개를 가져갔어요. 탁자 위에 남은 귤은 몇 개인가요?

식 : _____

정답 : _____

18. 그림이 들어간 식을 보고 그림의 값을 구해 보세요.

 − 25 − 5 =

 + − 70 =

3 × 25 =

 ÷ 3 =

 = _____

 = _____

 = _____

 = _____

_____월 _____일 _____요일

1. 규칙에 따라 수를 써넣어 보세요.

54	58	62						86

92	87	82						52

2. 계산해 보세요.

28 + 17 + 2 = _____   25 + 15 + 32 = _____   17 + 37 = _____

36 + 23 + 4 = _____   17 + 46 + 23 = _____   49 + 15 = _____

11 + 34 + 9 = _____   24 + 26 + 48 = _____   46 + 46 = _____

3. 식을 보고 빼지는 수(처음 수)를 구한 후 검산도 해 보세요.

_____ – 19 = 33

검산 : 33 + 19 = _____

_____ – 28 = 28

검산 : 28 + 28 = _____

_____ – 45 = 27

검산 : 27 + 45 = _____

4. 계산해 보세요.

56 – 30 – 9 = _____   34 – 18 = _____

43 – 20 – 5 = _____   51 – 24 = _____

62 – 10 – 6 = _____   75 – 17 = _____

5. 세로셈으로 계산해 보세요.

37 + 42

51 + 5

84 – 61

67 – 5

6. ☐ 안에 알맞은 수를 구해 보세요.

	4	0
+		
	9	6

+	3	1
	8	5

	6	7
–		
	6	1

–	4	2
	3	6

7. 식을 쓰고 세로셈으로 계산해 보세요.

메이의 수족관에는 물고기가 87마리 있고,
노아의 수족관에는 물고기가 63마리 있어요.
메이의 수족관에 있는 물고기는 노아의
수족관에 있는 물고기보다 몇 마리가 더
많은가요?

식 : _____

정답 : _____

얼마나
잘했나요?

실력이 자란 만큼 별을 색칠하세요.

⭐⭐⭐ 정말 잘했어요.

⭐⭐☆ 꽤 잘했어요.

⭐☆☆ 계속 노력할게요.

1

빈칸에 알맞은 수를 구한 후, 정답에
해당하는 알파벳을 찾아 써넣으세요.

24 + _____ = 90 ☐

12 + _____ = 80 ☐

17 + _____ = 92 ☐

_____ − 43 = 32 ☐

_____ − 26 = 57 ☐

99 − _____ = 24 ☐

98 − _____ = 18 ☐

80 − _____ = 26 ☐

86 − _____ = 35 ☐

51	54	66	68	75	80	83
M	U	T	E	R	I	A

2

세로셈으로 계산해
보세요.

	5	1
+	3	8

	5	6
−	4	2

3

규칙에 따라 수를 써넣어 보세요.

62   68   74   80

89   81   73   65

4

가로와 세로의 합이 79가 되도록 빈칸에 알맞은
수를 구해 보세요.

		33	28		26		11
21						39	
29	23		20	37		15	37

5 ★★★

아래 글을 읽고 강아지의 이름을 알아맞혀 보세요.

_____ _____ _____ _____ _____

- 카포의 옷에는 줄무늬가 없어요.
- 스낵의 옷에는 모자와 줄무늬가 없어요.
- 디에고의 옷에는 줄무늬가 2개가 아니에요.
- 카포는 스낵 옆에 있어요.
- 밤비의 옷에는 디에고의 옷보다 줄무늬가 2개 더 많아요.
- 프로도의 옷에는 모자가 있어요.

1. 빈칸에 알맞은 수를 넣어 덧셈 계단을 완성해 보세요.

스스로 문제를 만들어 풀어 보세요.

2. 빈칸에 알맞은 수를 구해 보세요.

37 + 26 + _____ = 86

42 + 29 + _____ = 89

92 − _____ − 28 = 23

77 − _____ − 35 = 17

3. 중앙에 있는 수를 더해서 ○ 안에 써넣어 보세요.

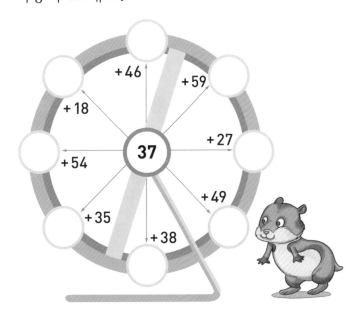

4. 빈칸에 알맞은 수를 구해 보세요.

49 + 25 = _____ + 36

63 + 18 = _____ + 54

48 + 39 = 27 + _____

67 + 28 = 39 + _____

58 + _____ = 65 + 36

25 + _____ = 37 + 36

_____ + 78 = 49 + 56

5. 중앙에 있는 수에서 빼서 ○ 안에 써넣어 보세요.

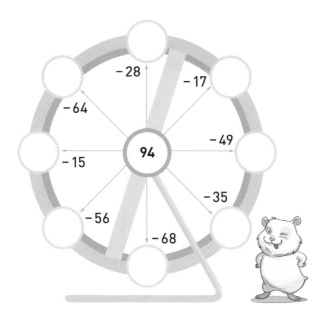

6. 빈칸에 알맞은 수를 구해 보세요.

45 > _____ - 48 > 43

28 > _____ - 56 > 26

71 > _____ - 29 > 69

64 > _____ - 18 > 62

17 < _____ - 57 < 19

48 < _____ - 43 < 50

34 < _____ - 49 < 36

7. 그림이 들어간 식을 보고 그림의 값을 구해 보세요.

10 센티미터

자로 길이를 잴 때는 한쪽 끝을
눈금 0에 맞추어야 해요.
cm는 센티미터라고 읽어요.

1. 자를 이용해서 알파벳의 순서를 따라 선을 그어 보세요. 지도 위에 있는 깃발과
   깃발 사이의 길이를 자로 잰 후 빈칸에 써 보세요.

2. 1번에서 나온 길이를 쓴 후 덧셈을 해 보세요.

_____ cm + _____ cm = _____ cm

_____ + _____ + _____ = _____

_____ + _____ + _____ = _____

_____ + _____ + _____ = _____

1. 자를 이용해서 수의 순서대로 선을
그어 보세요.

2. 계산해 보세요.

54 cm + 7 cm = _____

64 cm + 7 cm = _____

76 cm + 8 cm = _____

86 cm + 8 cm = _____

15 cm − 9 cm = _____

45 cm − 9 cm = _____

13 cm − 8 cm = _____

3. 자를 이용하여 길이를 재어 보세요.

_____ cm

_____

_____

_____

_____

4. 메뚜기가 뜀뛰기한 길이를 어림해서 쓴 후, 자로 잰 길이를 써 보세요.

뜀뛰기한 길이	어림한 길이	자로 잰 길이
	_____ cm	_____ cm
	_____	_____
	_____	_____
	_____	_____
	_____	_____

5. □ 안에 >, =, <를 알맞게 써넣어 보세요.

25 cm + 16 cm ☐ 14 cm + 27 cm

87 cm − 35 cm ☐ 26 cm + 26 cm

45 cm + 33 cm ☐ 16 cm + 63 cm

24 cm + 68 cm ☐ 54 cm + 38 cm

83 cm − 35 cm ☐ 32 cm + 19 cm

46 cm + 27 cm ☐ 15 cm + 58 cm

90 cm − 21 cm ☐ 33 cm + 37 cm

32 cm + 49 cm ☐ 96 cm − 17 cm

6. 친구들의 이름과 멀리뛰기한 길이를 알아보세요.

이름				
멀리뛰기한 길이				

- 에디가 뛴 길이는 로라가 뛴 길이보다 9cm 짧아요.
- 미나가 뛴 길이는 에디가 뛴 길이보다 17cm 길어요.
- 리타는 오른쪽에서부터 두 번째이고, 뛴 길이는 133cm예요.
- 로라는 왼쪽 끝에 있어요.
- 리타가 뛴 길이에서 14cm를 빼면 로라가 뛴 길이와 같아요.
- 미나는 왼쪽에서부터 네 번째에 있어요.

11 미터

1m = 100cm

1미터는 100센티미터와 같아요.

m는 미터라고 읽어요.

1. 뜀뛰기한 길이를 cm로 나타내 보세요. 뜀뛰기한 길이는 1m에서 얼마만큼 짧은지 cm로 나타내 보세요.

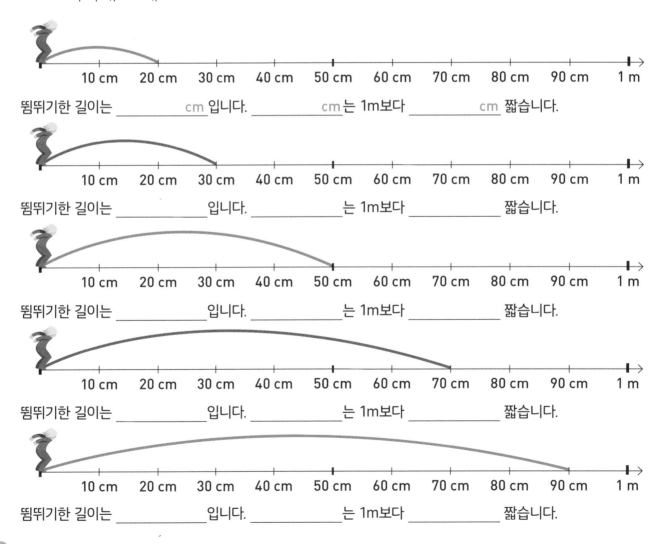

뜀뛰기한 길이는 _____ cm 입니다. _____ cm 는 1m보다 _____ cm 짧습니다.

뜀뛰기한 길이는 _____ 입니다. _____ 는 1m보다 _____ 짧습니다.

뜀뛰기한 길이는 _____ 입니다. _____ 는 1m보다 _____ 짧습니다.

뜀뛰기한 길이는 _____ 입니다. _____ 는 1m보다 _____ 짧습니다.

뜀뛰기한 길이는 _____ 입니다. _____ 는 1m보다 _____ 짧습니다.

2. m를 cm로 나타내 보세요.

2 m = _____

4 m = _____

6 m = _____

8 m = _____

3. cm를 m로 나타내 보세요.

300 cm = _____

500 cm = _____

700 cm = _____

900 cm = _____

4. 식을 쓴 후 답을 구해 보세요. 정답은 m와 cm 두 가지 방법으로 쓰세요.

❶ 초록색 테이프의 길이는 170cm예요. 70cm를 잘라 냈다면 남은 초록색 테이프의 길이는 얼마인가요?

식 : _____

정답 : _____

❷ 노란색 테이프의 길이는 290cm예요. 처음에 60cm를 잘라 내고, 그다음에 30cm를 더 잘라 냈어요. 남은 노란색 테이프의 길이는 얼마인가요?

식 : _____

정답 : _____

한 번 더 연습해요!

1. 식과 답을 써 보세요.

길이가 100cm(=1m)인 테이프가 있어요. 이 테이프를 30cm 잘라 냈다면 남은 테이프의 길이는 얼마인가요?

식 : _____

정답 : _____

2. cm로 나타내 보세요.

1 m = _____

3 m = _____

3. m로 나타내 보세요.

200 cm = _____

400 cm = _____

5. 길이에 맞는 단위를 cm 또는 m로 바르게 나타내어 보세요.

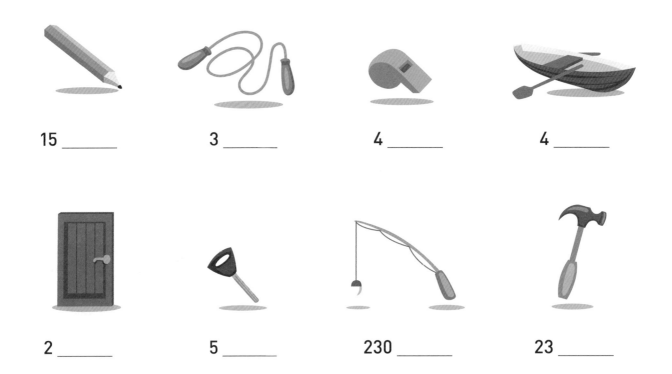

15 _____   3 _____   4 _____   4 _____

2 _____   5 _____   230 _____   23 _____

6. 조건에 맞게 색칠해 보세요.

● 1m보다 짧은 길이

● 1m보다 긴 길이

7. □ 안에 >, =, <를 알맞게 써넣어 보세요.

99 cm ☐ 1 m

190 cm ☐ 2 m

170 cm ☐ 1 m 70 cm

301 cm ☐ 3 m

78 cm + 6 cm ☐ 83 cm

85 cm + 6 cm ☐ 92 cm

75 cm + 20 cm ☐ 1 m

165 cm + 35 cm ☐ 2 m

8. 식을 쓴 후 답을 구해 보세요. 정답은 미터와 센티미터 두 가지 방법으로 쓰세요.

❶ 머시는 5m 길이의 리본을 두 부분으로 똑같이 잘랐어요. 리본 1개의 길이는 얼마인가요?

정답 : _____

❷ 에린은 2m 길이의 리본에서 $\frac{1}{4}$을 잘라 냈어요. 남은 리본의 길이는 얼마인가요?

정답 : _____

9. 아래 표를 보고 친구들의 이름을 알아맞혀 보세요.

이름	키
토미	1 m 44 cm
월터	136 cm
프란츠	1 m 25 cm
알렉	148 cm
에밀	116 cm

1. 계산값이 1m가 나오는 길을 따라가 보세요.

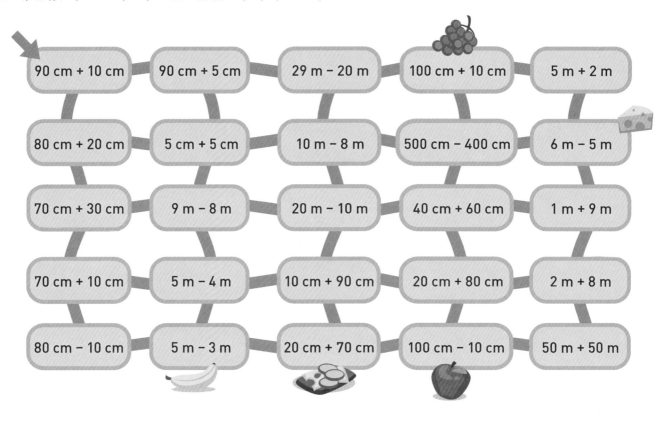

90 cm + 10 cm	90 cm + 5 cm	29 m – 20 m	100 cm + 10 cm	5 m + 2 m
80 cm + 20 cm	5 cm + 5 cm	10 m – 8 m	500 cm – 400 cm	6 m – 5 m
70 cm + 30 cm	9 m – 8 m	20 m – 10 m	40 cm + 60 cm	1 m + 9 m
70 cm + 10 cm	5 m – 4 m	10 cm + 90 cm	20 cm + 80 cm	2 m + 8 m
80 cm – 10 cm	5 m – 3 m	20 cm + 70 cm	100 cm – 10 cm	50 m + 50 m

2. 길이에 맞는 단위를 cm 또는 m로 바르게 나타내 보세요.

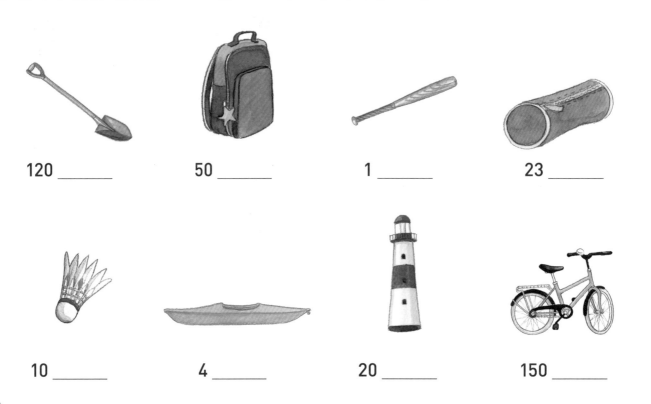

120 _____   50 _____   1 _____   23 _____

10 _____   4 _____   20 _____   150 _____

3. 화살표 위의 수를 순서대로 계산하여 ☐ 안에 써넣어 보세요.

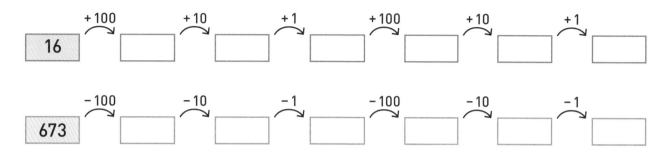

| 16 | +100 → ☐ | +10 → ☐ | +1 → ☐ | +100 → ☐ | +10 → ☐ | +1 → ☐ |

| 673 | -100 → ☐ | -10 → ☐ | -1 → ☐ | -100 → ☐ | -10 → ☐ | -1 → ☐ |

차근차근 계산해 보렴~!

4. 친구들의 이름을 쓰고, 셔츠에 알맞은 색을 칠해 보세요.

이름				
키	134 cm	135 cm	138 cm	142 cm

- 왓슨과 페트릭의 키 각 자리 수를 모두 더한 값은 17이에요.
- 올리버 키의 일의 자리 수는 왓슨 키의 일의 자리 수의 2배예요.
- 헨리 키의 각 자리 수를 모두 더한 값은 가장 작아요.
- 빨간색 셔츠를 입은 선수의 키 각 자리 수를 모두 더한 값은 10보다 작은 짝수예요.
- 초록색 셔츠를 입은 선수의 키에 18cm를 더하면 160cm예요.
- 노란색 셔츠를 입은 선수의 키를 반으로 나눈 값은 69cm예요.
- 파란색 셔츠를 입은 선수는 왓슨과 올리버 사이에 있어요.

확실한 조건부터 먼저 찾으렴~!

얼음성 빙고

인원 : 2명　준비물 : 주사위, 2가지 색의 색연필

놀이 방법

1. 교재에 있는 얼음성을 하나씩 골라 각자 이름을 써요.

2. 번갈아 가며 주사위를 굴려요. 예를 들어 주사위 눈이 3이 나오면 3×7, 3×9, 3×10 중에서 1개의 식을 골라요. 그리고 계산값을 자신의 얼음성에서 찾아 색칠해요.

3. 답을 찾지 못하거나 답이 틀리면 아무것도 색칠하지 못한 채 순서가 바뀌어요.

4. 가로, 세로, 대각선으로 3개 모두 표시되면 '빙고'라고 외쳐요.

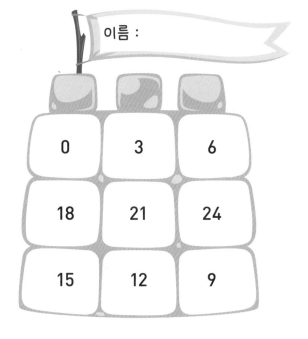

이름 :

0	3	6
18	21	24
15	12	9

•	3 × 3	4 × 3	5 × 3
∴	2 × 3	6 × 3	8 × 3
∴	3 × 7	3 × 9	3 × 10
::	3 × 0	3 × 1	3 × 5
⁙	7 × 3	9 × 3	10 × 3
⁛	3 × 4	3 × 6	3 × 8

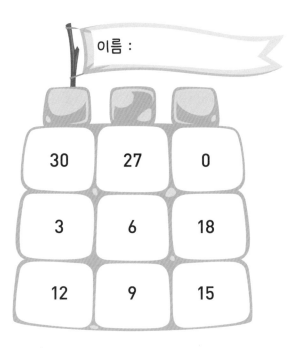

이름 :

30	27	0
3	6	18
12	9	15

★ 112쪽 활동지로 한 번 더 놀이해요!

98

우주 주사위 놀이

인원 : 2명   준비물 : 주사위, 놀이 말 2개

모양	설명
●	주사위 눈의 수에 0을 곱해요.
☽	주사위 눈의 수에 3을 곱해요.
▭	주사위 눈의 수에 4를 곱해요.
☆	주사위 눈의 수에 5를 곱해요.

 놀이 방법

1. 순서를 정해 번갈아 가며 주사위를 굴려요.
   시작 방향은 선택할 수 있어요.

2. 주사위 눈의 수만큼 말을 옮긴 후, 도착한 곳의
   모양을 확인해요.

3. 모양에 해당되는 내용을 읽고, 곱셈식을 쓴 후
   결과값을 써요.

4. 결과값을 3개 다 쓰면 그 합을 구해요.
   합이 큰 사람이 이겨요.

출발

놀이 1: _____ + _____ + _____ = _____

놀이 2: _____ + _____ + _____ = _____

놀이 3: _____ + _____ + _____ = _____

어떤 모양이 많이
나와야 결과값이 클까?

 한 번 더 연습해요!

1. 규칙에 따라 수를 써넣어 보세요.

30	27	24							0

0	4	8							40

수 막대 계산기 인원 : 2명 준비물 : 주사위 2개, 수 막대

십의 자리	일의 자리

십의 자리	일의 자리

✏️ **주사위 코드**

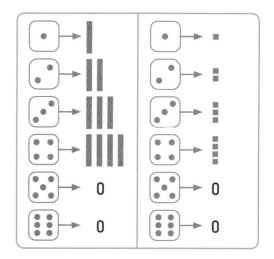

✏️ **놀이 방법**

1. 주사위 코드를 보고 주사위 눈의 값을 정해요.

2. 순서를 정한 후, 주사위 2개를 굴려요. 첫 번째 주사위는 십의 자리, 두 번째 주사위는 일의 자리를 나타내요. 주사위 눈에 맞게 주사위 코드를 확인한 후 교재 위쪽 칸에 수 막대를 올려놓아요. 상대방 역시 주사위를 굴려 같은 식으로 해서 수 막대를 놓아요.

3. 2번과 같은 방식으로 이번에는 교재 아래쪽 칸에 수 막대를 올려놓아요. 상대방 역시 주사위를 굴려 같은 식으로 해서 수 막대를 놓아요.

4. 표의 위 칸과 아래 칸 수의 합을 수 막대로 계산해요.

5. 계산값이 더 큰 사람이 1점을 얻어요.

6. 6회까지 해서 점수를 더 많이 얻은 사람이 이겨요.

책 뒤에 있는 놀이 카드를 이용하세요.

그래프 놀이

 인원 : 2명   준비물 : 주사위 1개, 색연필, 0~9까지의 수 카드

놀이 방법

1. 0에서 9까지의 수 카드를 뒤집어서 책상에 펼쳐 놔요.

2. 순서를 정해 주사위를 굴린 다음 수 카드 중 1개를 뒤집어요. 주사위 눈은 십의 자리를 나타내고, 수 카드는 일의 자리를 나타내요.

3. 2번에서 나온 수를 그래프에 색칠해요. 예를 들어 주사위 눈은 3, 수 카드가 9라면 39를 색칠해요.

4. 뽑은 수 카드는 숫자를 확인한 다음 다시 뒤집어 놓고 다른 카드와 함께 섞어요.

5. 번갈아 가며 주사위와 수 카드를 이용해 그래프를 완성해요.

6. 그래프를 완성한 후 덧셈식이나 뺄셈식 문제를 만들어 정답을 확인하며 놀아요.

★ 112쪽 활동지로 한 번 더 놀이해요!

책 뒤에 있는 놀이 카드를 이용하세요.

 한 번 더 연습해요!

1. 계산해 보세요.

$39 + 28 + 11 = \underline{\hspace{1cm}}$ $36 + 26 = \underline{\hspace{1cm}}$ $83 - 30 - 4 = \underline{\hspace{1cm}}$

$52 + 13 + 17 = \underline{\hspace{1cm}}$ $49 + 15 = \underline{\hspace{1cm}}$ $71 - 50 - 6 = \underline{\hspace{1cm}}$

$24 + 26 + 29 = \underline{\hspace{1cm}}$ $55 + 26 = \underline{\hspace{1cm}}$ $94 - 20 - 7 = \underline{\hspace{1cm}}$

길이 재기 놀이

준비물 : 줄자

길이를 어림해서 쓴 다음, 자를 이용해서 직접 잰 후 표를 완성해 보세요.

길이를 잴 물건	어림한 값	자로 잰 값
핀란드 수학 교과서의 너비		
연필의 길이		
책상의 너비		
(바닥에서부터) 의자의 높이		
방의 길이		
방문의 너비		
길이를 재고 싶은 물건을 적어 보세요.		

너비는 가로 길이를 말해~

종이비행기 날리기

인원 : 2명   준비물 : A4 종이

 놀이 방법

① 종이를 세로로 반 접은 다음 다시 펼쳐요.

② 가운데 선을 중심으로 양쪽 끝 부분이 만나도록 접어요.

③ 2번의 모양에서 다시 가운데 선을 중심으로 양쪽 끝 부분이 만나도록 접어요.

④ 접은 부분이 안으로 들어가도록 반으로 접은 다음 그림처럼 양 날개 끝을 바깥으로 접어요.

⑤ 양쪽 날개를 잘 펴요.

종이비행기 날리기 시합을 해 볼까요? 날아간 거리를 재어 보세요.

이름	첫 번째 날린 거리	두 번째 날린 거리	세 번째 날린 거리

 한 번 더 연습해요!

1. 식과 답을 써 보세요.

종이비행기를 날렸어요. 첫 번째는 620cm를 날아갔고, 두 번째는 처음보다 300cm 더 짧게 날아갔어요. 두 번째 때 날아간 거리는 얼마인가요?

식 : _____

정답 : _____

2. 계산해 보세요.

120 cm + 60 cm = _____

205 cm + 40 cm = _____

100 cm − 50 cm = _____

300 cm − 50 cm = _____

360 cm + 400 cm = _____

그래프

1. 그래프를 보고 답해 보세요.

❶ 학급의 학생 수는 모두 몇 명인가요? _____

❷ 일주일 동안 읽은 만화책이 2권인 학생은 몇 명인가요? _____

❸ 일주일 동안 읽은 만화책이 0권인 학생은 몇 명인가요? _____

❹ 일주일 동안 읽은 만화책이 2권보다 많은 학생은 몇 명인가요? _____

❺ 일주일 동안 읽은 만화책이 1권보다 많은 학생은 몇 명인가요? _____

❻ 일주일 동안 읽은 만화책이 2권보다 적은 학생은 몇 명인가요? _____

내가 만든 그래프

학급 친구들이 즐겨하는 취미 4가지를 조사해 보세요.

❶ 아래 표에 취미 종류를 쓰세요.

❷ 친구들에게 어떤 취미를 좋아하는지 조사해 보세요.

❸ 같은 취미를 좋아하는 친구의 수를 보기처럼 5명 단위로 표시하세요.

❹ 조사가 끝나면 표를 보고 그래프를 만들어 보세요.

취미	학생 수

<보기>

취미	학생 수
축구	┼┼┼ ‖

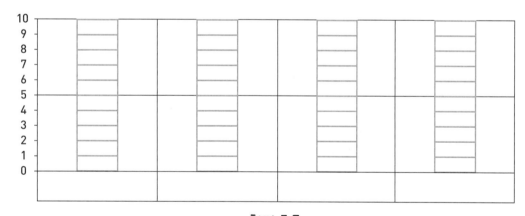

■ 학생 수

취미 종류

위 그래프를 보고 104쪽처럼 스스로 질문을 만들어 써 보세요.

❶ _____

❷ _____

_____월 _____일 _____요일

우주 여행 게임

인원 : 2명　　준비물 : 주사위, 놀이 말

점수
이름
_____
500

점수
이름
_____
500

출발　+ 100　+ 50　– 100　– 50　+ 200　– 50　– 10　+ 5　+ 20　– 50　+ 10　– 20　– 20　도착　– 200　+ 100

 놀이 방법

1. 각각 500점부터 시작해요.

2. 가위바위보로 순서를 정해요. 주사위를 굴려서 나온 수만큼 말을 움직여요. 말이 움직일 때마다 나온 점수를 더하거나 빼서 계산한 결과값을 점수판에 써요.

3. 가장 많은 점수를 얻은 사람이 이겨요.

나만의 게임 만들기

게임 이름 :

이름
_____

출발

이름
_____

🖉 놀이 방법

1. 나만의 게임 이름을 적어 보세요.

2. 처음 점수를 얼마로 할지 정하세요.

3. 자유롭게 게임 판을 만들어 보세요.

4. 게임 판 끝까지 가게 되면 얼마의 점수를 잃게 될지 생각해 보세요.

5. 게임 판을 수정하며 완성해 보세요.

어떤 게임을
만들었는지 궁금해~!

_____ 월 _____ 일 _____ 요일

받아 올림이 있는 세로셈

받아 올림한 수를
더하는 걸 잊지 마~!

십의 자리	일의 자리		십의 자리	일의 자리
3	7	**+**	2	5

❶ 우선, 일의 자리끼리 더해요.

❷ 더한 수가 10을 넘는 수는 십의 자리에 1이라고 쓴 후
   받아 올림을 해요.

❸ 십의 자리 수끼리 더할 때 받아 올림해서 쓴 수까지
   더해서 계산해요.

1

	3	7
+	2	5
	6	2

1. 세로셈으로 계산해 보세요.

1

	2	8
+	2	6

	2	9
+	4	4

	1	8
+	2	8

	3	6
+	4	5

	1	6
+	5	7

	5	7
+	3	8

	1	9
+	1	6

	3	7
+	1	7

받아 올림이 있는 세로셈 문제 만들기

1. 받아 올림이 있는 세로셈 문제를 만들어 풀어 보세요.

우선 일의 자리끼리 더한 후
십의 자리를 더해요.

받아 올림한 수를
더하는 걸 잊으면 안 돼~!

놀이 카드는 반복되어 사용될
준비물이니 잃어버리지 않도록
잘 보관해 주세요.

1	2	3	4	5	6
2	4	6	8	10	12
3	6	9	12	15	18
4	8	12	16	20	24
5	10	15	20	25	30
6	12	18	24	30	36

1	2	3	4	5	6
2	4	6	8	10	12
3	6	9	12	15	18
4	8	12	16	20	24
5	10	15	20	25	30
6	12	18	24	30	36

☺ 98쪽 놀이 수학 〈얼음성 빙고〉에 활용하세요.

_____ 월 _____ 일 _____ 요일

이름 :

0	3	6
18	21	24
15	12	9

이름 :

30	27	0
3	6	18
12	9	15

☺ 101쪽 놀이 수학 〈그래프 놀이〉에 활용하세요.

112

0 1 2 3

4 5 6 7

8 9 10

= > + −

0 1 2 3

4 5 6 7

8 9 10

Th H T O

Thousands
(천의 자리)

Hundreds
(백의 자리)

Tens
(십의 자리)

Ones
(일의 자리)

백 모형

일 모형

십 모형

백 모형

일 모형

10	20	30	40	50	60	70	80	90	100
110	120	130	140	150	160	170	180	190	200
210	220	230	240	250	260	270	280	290	300
310	320	330	340	350	360	370	380	390	400
410	420	430	440	450	460	470	480	490	500
510	520	530	540	550	560	570	580	590	600
610	620	630	640	650	660	670	680	690	700
710	720	730	740	750	760	770	780	790	800
810	820	830	840	850	860	870	880	890	900
910	920	930	940	950	960	970	980	990	1000

핀란드에서 가장 많이 보는 1등 수학 교과서!
핀란드 초등학교 수학 교육 최고 전문가들이 만든
혼공 시대에 꼭 필요한 자기주도 수학 교과서를 만나요!

핀란드 수학 교과서, 왜 특별할까?

 수학적 구조를 발견하고 이해하게 하여 수학 공식을 암기할 필요 없어요.

 수학적 이야기가 풍부한 그림으로 수학 학습에 영감을 불어넣어요.

 교구를 활용한 놀이 수학을 통해 수학 개념을 이해시켜요.

 수학과 연계하여 컴퓨팅 사고와 문제 해결력을 키워 줘요.

 연산, 서술형, 응용과 심화, 사고력 문제가 한 권에 모두 들어 있어요.

어떤 문제를 푸느냐에
따라 수학 사고력은
달라집니다!

개별가 없음(세트로만 판매)

64410

9 791189 010577

ISBN 979-11-89010-57-7
979-11-89010-56-0 (세트)

무형광 종이 인쇄로 아이들 눈을 지켜 줘요.

핀란드 2학년 수학 교과서

글 마아리트 포슈박, 안네 칼리올라,
아르토 티카넨, 미이아-리이사 바네우스
그림 마이사 라야마키-쿠코넨
옮김 이경희(전 수학 교과서 집필진)

2-2

2권

★★★
EBS 다큐K
교과서 혁명
방영

★★★
최신 핀란드
국립교육과정
반영

★★★
사단법인 전국
수학교사모임
추천도서

놀이 수학 카드와
동영상 제공

마음이음

글 **마아리트 포슈박** | Maarit Forsback

에스푸에서 수학 교사로 학생들을 가르치면서 다양한 교육학적 연구를 통해 교수법을 개선하고 있습니다. 수학 학습의 어려움을 진단하는 전문가로 교내 모든 학생들을 대상으로 수학 특수 교육법을 시행하고 있습니다. 다양한 과제와 문제를 통해 학생들이 수학 구조를 발견하고 이해하면 수학 공식을 암기할 필요 없이 사고력을 기를 수 있다고 생각합니다.

안네 칼리올라 | Anne Kalliola

핀란드 초등학교에서 모든 학년을 가르친 바 있으며 특히 1~2학년 교육에 관심이 많습니다. 대학에서 수학을 전공했으며, 수학 공부에 어려움을 느끼는 학생들을 돕고 있습니다. 교사로서 학생들이 함께 수학 문제를 풀고 서로에게 가르쳐 줄 때 보람을 느낍니다.

아르토 티카넨 | Arto Tikkanen

20여 년 동안 학교에서 수학 교사로 근무했습니다. 1999년부터 교재를 집필하고 있으며, 현재 핀란드 오울루 소재 학교에서 교장으로 근무하고 있습니다. 학생들의 나이와 경험을 고려하여 연령에 적합한 방식으로 수학 개념을 가르치는 걸 중요하다고 생각합니다.

미이아-리이사 바네우스 | Miia-Liisa Waneus

헬싱키에서 20년 이상 교사로 근무하고 있습니다. 수학은 논리와 체계성의 재미를 느낄 수 있는 과목이라고 생각합니다. 그래서 교구와 일상 속에서 흔히 경험하는 수학적인 사건들을 활용하여 가르치려고 노력합니다.

그림 **마이사 라야마키-쿠코넨** | Maisa Rajamäki-Kukkonen

미술 교사로 30년 이상 근무했습니다. 교재 삽화는 단순히 책을 꾸미는 기능만 있는 게 아니라 교육의 일부라고 생각하며 이 교과서 작업을 했습니다. 그 덕에 핀란드 수학 교과서의 삽화는 수학적 개념과 문제를 직관적으로 쉽게 이해하도록 구성되어 학생들의 흥미를 자극하는 데 큰 역알을 합니다.

옮김 **이경희**

서울교육대학교와 동 대학원에서 초등교육방법을 전공했으며, 2009 개정 교육과정에 따른 초등학교 수학 교과서 집필진으로 활동했습니다. ICME12(세계 수학교육자대회)에서 한국 수학 교과서 발표, 2012년 경기도 연구년 교사로 덴마크에서 덴마크 수학을 공부했습니다. 현재 학교를 은퇴하고 외국인들에게 한국어를 가르쳐 주며 봉사활동을 하고 있습니다. 집필한 책으로는 『외우지 않고 구구단이 술술술』 『예비 초등학생을 위한 든든한 수학 짝꿍』 『한 권으로 끝내는 초등 수학사전』 등이 있습니다.

핀란드
2학년
수학 교과서

Star Maths 2B : ISBN 978-951-1-32169-9

©2016 Katariina Asikainen, Maarit Forsback, Sirpa Haapaniemi, Anne Kalliola, Sirpa Mörsky, Arto Tikkanen, Juha Voima, Miia-Liisa Waneus and Otava Publishing Company Ltd., Helsinki, Finland

Korean Translation Copyright ©2021 Mind Bridge Publishing Company

QR코드를 스캔하면 놀이 수학
동영상을 보실 수 있습니다.

핀란드 2학년 수학 교과서 2-2 2권

초판 1쇄 발행 2021년 4월 5일
초판 5쇄 발행 2023년 7월 20일

지은이 마아리트 포슈박, 안네 칼리올라, 아르토 티카넨, 미이아-리이사 바네우스
그린이 마이사 라야마키-쿠코넨   **옮긴이** 이경희
펴낸이 정혜숙   **펴낸곳** 마음이음

책임편집 이금정   **디자인** 디자인서가
등록 2016년 4월 5일(제2018-000037호)
주소 03925 서울시 마포구 월드컵북로 402 9층 917A호(상암동 KGIT센터)
전화 070-7570-8869 **팩스** 0505-333-8869
전자우편 ieum2016@hanmail.net
블로그 https://blog.naver.com/ieum2018

ISBN 979-11-89010-58-4 64410
         979-11-89010-56-0 (세트)

이 책의 내용은 저작권법의 보호를 받는 저작물이므로 무단전재와 복제를 금합니다.
책값은 뒤표지에 있습니다.

핀란드 2학년 수학 교과서

2-2 2권

글　마아리트 포슈박, 안네 칼리올라,
　　아르토 티카넨, 미이아-리이사 바네우스
그림　마이사 라야마키-쿠코넨
옮김　이경희(전 수학 교과서 집필진)

마음이음

아이들이 수학을 공부해야 하는 이유는 수학 지식을 위한 단순 암기도 아니며, 많은 문제를 빠르게 푸는 것도 아닙니다. 시행착오를 통해 정답을 유추해 가면서 스스로 사고하는 힘을 키우기 위함입니다.

핀란드의 수학 교육은 다양한 수학적 활동을 통하여 수학 개념을 자연스럽게 깨닫게 하고, 논리적 사고를 유도하는 문제들로 학생들이 수학에 흥미를 갖도록 하는 데 성공했습니다. 이러한 자기 주도적인 수학 교과서가 우리나라에 번역되어 출판하게 된 것을 두 팔 벌려 환영하며, 학생들이 수학을 즐겁게 공부하게 될 것이라 생각하여 감히 추천하는 바입니다.

하동우(민족사관고등학교 수학 교사)

수학은 언어, 그림, 색깔, 그래프, 방정식 등으로 다양하게 표현하는 의사소통의 한 형태입니다. 이들 사이의 관계를 파악하면서 수학적 사고력도 높아지는데, 안타깝게도 우리나라 교육 환경에서는 수학이 의사소통임을 인지하기 어렵습니다. 수학 교육 과정이 수직적으로 배열되어 있기 때문입니다. 그런데 『핀란드 수학 교과서』는 배운 개념이 거미줄처럼 수평으로 확장, 반복되고, 아이들은 넓고 깊게 스며들 듯이 개념을 이해할 수 있습니다.

정유숙(쏙샘TV 운영자)

『핀란드 수학 교과서』를 보는 순간 다양한 문제들을 보고 놀랐습니다. 다양한 형태의 문제를 풀면서 생각의 폭을 넓히고, 생각의 힘을 기르고, 수학 실력을 보다 안정적으로 만들 수 있습니다. 또한 놀이와 탐구로 학습하면서 수학에 대한 흥미가 높아져 문제를 스스로 이해하고 터득하는 데 도움이 됩니다.

숫자가 바탕이 되는 수학은 세계적인 유일한 공통 과목입니다. 21세기를 이끌어 갈 아이들에게 4차산업혁명을 넘어 인공지능 시대에 맞는 창의적인 사고를 길러 주는 바람직한 수학 교육이 이 책을 통해 이루어지길 바랍니다.

김재련(사월이네 공부방 원장)

「핀란드 수학 교과서(Star Maths)」 시리즈를 펴낸 오타바(Otava) 출판사는 교재 전문 출판사로 120년이 넘는 역사를 지닌 명실상부한 핀란드의 대표 출판사입니다. 특히 「Star Maths」 시리즈는 핀란드 학교 현장의 수학 전문가들이 최신 핀란드 국립교육과정을 반영하여 함께 개발한 핀란드의 대표 수학 교과서입니다.

수 개념과 십진법을 이해하기 위한 탄탄한 기반을 제공하여 연산 능력을 키우고, 기본, 응용, 심화 문제 등 학생 개개인의 학습 차이를 다각도에서 고려하여 다양한 평가 문제를 실었습니다. 또한 친구 또는 부모님과 함께 놀이를 통해 문제 해결을 하며 수학적 즐거움을 발견하여 수학에 대한 긍정적인 태도를 갖도록 합니다.

한국의 학생들이 이 책과 함께 즐거운 수학 세계로 여행을 떠나길 바랍니다.

마아리트 포슈박, 안네 칼리올라, 아르토 티카넨,
미이아−리이사 바네우스(STAR MATHS 공동 저자)

차 례

⭐ 놀이 수학

⭐ 탐구 과제

1 킬로미터

공원 400m

1km = 1000m
1킬로미터는 1000미터와 같아요.
km는 킬로미터라고 읽어요.

1. 엠마의 집에서 학교까지의 거리는 1km예요. 자전거로 간 거리는 얼마이고, 남은 거리는 얼마인지 m로 나타내 보세요.

| 100 m | 200 m | 300 m | 400 m | 500 m | 600 m | 700 m | 800 m | 900 m | 1 km |

엠마가 자전거로 간 거리는 _____ m 이며, 남은 거리는 _____ m 입니다.

| 100 m | 200 m | 300 m | 400 m | 500 m | 600 m | 700 m | 800 m | 900 m | 1 km |

엠마가 자전거로 간 거리는 _____ 이며, 남은 거리는 _____ 입니다.

| 100 m | 200 m | 300 m | 400 m | 500 m | 600 m | 700 m | 800 m | 900 m | 1 km |

엠마가 자전거로 간 거리는 _____ 이며, 남은 거리는 _____ 입니다.

| 100 m | 200 m | 300 m | 400 m | 500 m | 600 m | 700 m | 800 m | 900 m | 1 km |

엠마가 자전거로 간 거리는 _____ 이며, 남은 거리는 _____ 입니다.

2. □ 안에 >, =, <를 알맞게 써넣어 보세요.

460 m ☐ 500 m

350 m ☐ 300 m

780 m ☐ 770 m

1000 m ☐ 1 km

520 m + 200 m ☐ 620 m

830 m + 160 m ☐ 1000 m

300 m + 700 m ☐ 1 km

760 m + 340 m ☐ 1 km

3. 점과 점 사이의 거리가 100m일 때, 주어진 거리를 구해 보세요.

- 학교에서 공원까지의 거리 _____m

- 도서관에서 집까지의 거리 _____m

- 아이스크림 자판기에서 가게까지의 거리
  _____m

- 체육관에서 학교까지의 거리 _____m

- 집에서 도서관까지 왕복 거리 _____m

한 번 더 연습해요!

1. 식을 쓴 후 정답을 구해 보세요.

알렉은 자전거를 타고 950m를 갔다가 이후에 50m를 더 갔어요. 알렉이 자전거를 타고 간 거리는 모두 얼마인가요?

식 : _____

정답 : _____

2. □ 안에 >, =, <를 알맞게 써넣어 보세요.

1000 m − 400 m ☐ 500 m

1000 m − 100 m ☐ 1 km

1000 m − 800 m ☐ 100 m

500 m + 490 m ☐ 1 km

200 m + 700 m ☐ 900 m

4. 계산값이 1km가 나오는 길을 따라가 보세요.

700m + 300m	800m + 100m	10km – 10km	21km – 20km	200m + 800m
800m + 200m	600m + 400m	10km – 8km	10km – 9km	300m + 800m
500m + 400m	500m + 500m	100m + 900m	1000m + 0m	300m + 600m
100m + 700m	100m + 200m	5km + 5km	10km – 6km	20km – 10km

1000m는 1km와 같아~!

5. 왼쪽 그림과 다른 점 10가지를 찾아 오른쪽 그림에 표시해 보세요.

6. 아래 글을 읽고 문제를 푼 다음 정답을 찾아 ○표 해 보세요.

❶ 에밀이 자전거로 처음 간 거리는 560m이고, 440m를 더 갔어요. 에밀이 자전거로 간 거리는 모두 얼마인가요?

정답 : _____

❷ 줄리아가 자전거로 처음 간 거리는 495m이고, 245m를 더 갔어요. 줄리아가 자전거로 간 거리는 모두 얼마인가요?

정답 : _____

❸ 애니는 자전거를 타고 집에서 학교까지 왕복해서 다녀왔어요. 총 900m를 왕복했다면 집에서 학교까지의 거리는 얼마인가요?

정답 : _____

❹ 아놀드는 자전거를 타고 집에서 축구장까지 왕복해서 다녀왔어요. 집에서 축구장까지의 거리가 425m일 때, 왕복한 거리는 얼마인가요?

정답 : _____

❺ 헬레나는 자전거로 480m를 가야 해요. 그러나 가야 할 거리의 $\frac{1}{4}$만큼만 자전거를 탔다면 남은 거리는 얼마인가요?

정답 : _____

❻ 에이브는 자전거로 990m를 가야 해요. 그러나 가야 할 거리의 $\frac{1}{3}$만큼만 자전거를 탔다면 남은 거리는 얼마인가요?

정답 : _____

 360 m   450 m   535 m   660 m   740 m   850 m   1000 m

7. 그림이 들어간 식을 보고 그림의 값을 구해 보세요.

 + = 1 km

 − = 350 m

 − = 300 m

 + = 970 m

 = _____

 = _____

 = _____

 = _____

8. 그림이 들어간 식을 보고 그림의 값을 구해 보세요.

9. 주어진 수를 작은 수부터 순서대로 쓴 다음, 주어진 수의 알파벳을 ☐ 안에 써넣어 보세요.

10. 빈칸에 알맞은 수를 구해 보세요.

150 + 30 = 110 + _____

120 + 70 = _____ + 150

170 − 20 = 190 − _____

360 − 50 = _____ − 10

195 + _____ = 560 + 30

490 − _____ = 400 − 15

_____ + 125 = 520 − 200

_____ − 400 = 620 − 305

11. 그림을 보고 가장 무거운 것에 빨간색을, 가장 가벼운 것에 노란색을 칠해 보세요.

 ❶

❷

❸

2 킬로그램과 그램

1kg = 1000g
1킬로그램은 1000g과 같아요.
kg은 킬로그램, g은 그램이라고 읽어요.

1. 물건의 무게가 얼마인지 써 보세요.

초콜릿 1개의 무게 : _____

과자 1봉지의 무게 : _____

요거트 1개의 무게 : _____

밀가루 1봉지의 무게 : _____

2. 계산한 후 정답을 찾아 ◯표 해 보세요.

310 g + 500 g = _____   690 g − 100 g = _____

300 g + 100 g = _____   780 g − 300 g = _____

400 g + 600 g = _____   1000 g − 200 g = _____

 400 g   480 g   490 g   590 g   800 g   810 g   1000 g

3. 더해서 1kg이 되는 무게에 ○표 해 보세요.

1. 식을 쓴 후 정답을 구해 보세요.

요거트 한 컵의 무게는 총 800g이에요.
엠마가 200g을 먹고, 엄마가 300g을
먹었어요. 컵에 남은 요거트의 양은
얼마인가요?

식 :
_____

정답 : _____

2. 계산해 보세요.

300 g + 40 g = _____

240 g + 50 g = _____

360 g + 400 g = _____

870 g – 50 g = _____

910 g – 500 g = _____

4. 무게에 맞는 단위를 g 또는 kg으로 바르게 나타내 보세요.

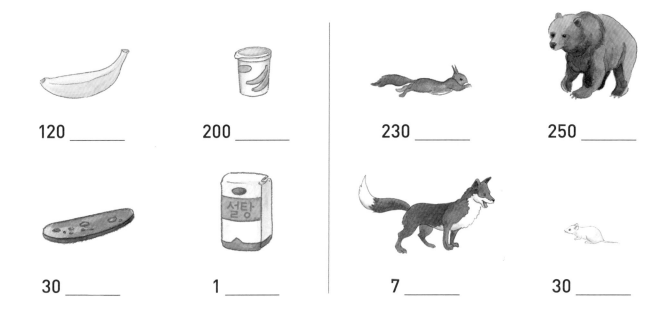

120 _____   200 _____   230 _____   250 _____

30 _____   1 _____   7 _____   30 _____

5. 조건에 맞게 색칠해 보세요.

1kg보다 적은 무게 ⬤
1kg보다 많은 무게 ⬤

어떤 글자가 보이니?

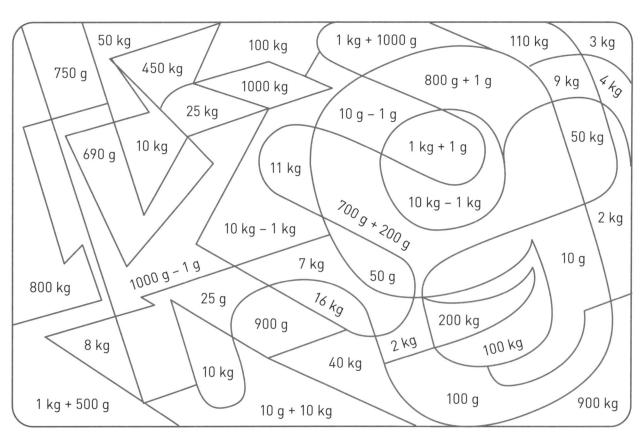

6. 저울이 수평이 되도록 오른쪽에 알맞은 무게값을 적어 보세요. 50g, 100g, 200g, 500g 중에서 원하는 만큼 골라 쓸 수 있어요.

7. 그림을 보고 가장 가벼운 공과 가장 무거운 공을 찾아 색칠해 보세요.

가장 가벼운 공 ◯

가장 무거운 공 ◯

8. 3개의 수를 골라 주어진 수를 만들어 보세요.

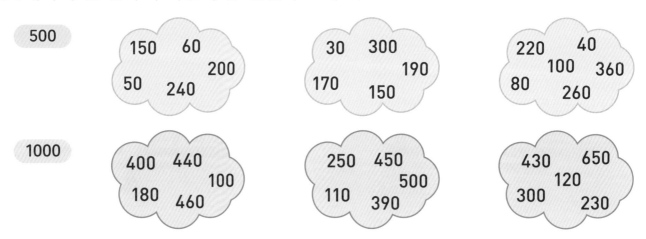

500

150 60
       200
50 240

30 300
       190
170 150

220   40
    100 360
80   260

1000

400 440
       100
180 460

250 450
       500
110 390

430 650
    120
300   230

9. 규칙을 알아내어 주어진 수에 해당하는 알파벳 값을 써 보세요.

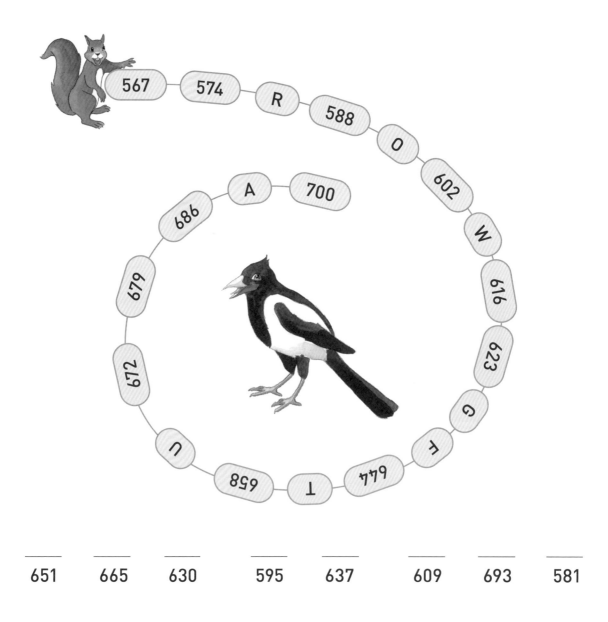

567 574 R 588 O 602 W 616 623 G F 779 T 658 U 672 679 686 A 700

| 651 | 665 | 630 | 595 | 637 | 609 | 693 | 581 |

10. 계산한 후 정답을 찾아 ○표 해 보세요.

	1	5	3
+			
	2	7	3

	2	0	4
+			
	2	8	5

	3	7	0
+			
	5	9	1

	6	8	0
−			
	2	3	0

	6	0	8
−			
			5

	7	4	1
−			
	7	0	1

| 40 | 81 | 120 | 123 | 221 | 450 | 603 |

11. 로봇의 작동 원리를 알아낸 후, 알맞은 수를 구해 보세요.

259 → 379
736 → 856
394 → 514
867 →
690 →
189 →

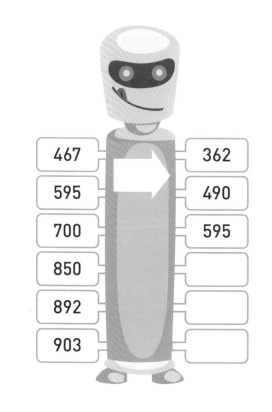

467 → 362
595 → 490
700 → 595
850 →
892 →
903 →

왼쪽과 오른쪽 수의 관계를 잘 살펴보렴~!

3 리터와 데시리터

1l = 10dl
1리터는 10데시리터와 같아요.
l는 리터, dl는 데시리터라고 읽어요.

1. 1l가 되려면 필요한 양을 색칠한 후 빈칸에 써 보세요.

4 dl + ___6 dl___ = 1 l   7 dl + _____ = 1 l   2 dl + _____ = 1 l

3 dl + _____ = 1 l   6 dl + _____ = 1 l   5 dl + _____ = 1 l

2. 1l가 되려면 필요한 양을 빈칸에 써 보세요.

5 dl + 2 dl + _____ = 1 l   2 dl + _____ + 2 dl = 1 l

7 dl + 1 dl + _____ = 1 l   1 dl + _____ + 4 dl = 1 l

4 dl + _____ + 4 dl = 1 l   _____ + 3 dl + 3 dl = 1 l

8 dl + _____ + 1 dl = 1 l   _____ + 2 dl + 1 dl = 1 l

3. 주어진 컵에 주스를 따르면 남는 양은 얼마인지 식과 답을 구해 보세요.

10 dl – 1 dl – 1 dl = _____

_____

_____

_____

4. 계산해 보세요.

1 l – 1 dl = _____

1 l – 5 dl = _____

1 l – 9 dl = _____

1 l – 4 dl = _____

1 l – 4 dl – 1 dl = _____

1 l – 6 dl – 2 dl = _____

1 l – 5 dl – 4 dl = _____

1 l – 3 dl – 3 dl = _____

1 l = 10 dl

한 번 더 연습해요!

1. 계산해 보세요.

2 dl + 7 dl = _____

5 dl + 3 dl = _____

1 l – 8 dl = _____

2. 계산해 보세요.

2 dl + 3 dl + 2 dl = _____

1 l – 4 dl – 5 dl = _____

1 l – 2 dl – 8 dl = _____

5. 부피에 맞는 단위를 dl 또는 l로 바르게 나타내 보세요.

10 _____   190 _____   2 _____   5 _____

1 _____   3 _____   1000 _____   2 _____

6. 아래 글을 읽고 정답을 구해 보세요.

❶ 물병에 물이 1l 있어요. 물을 4dl만큼
컵에 따랐다면 물병에 남은 물의 양은
얼마인가요?

정답 : _____

❷ 물병에 물이 1l 있어요. 물을 8dl만큼
컵에 따랐다면 물병에 남은 물의 양은
얼마인가요?

정답 : _____

❸ 물병에 물이 1l 있어요. 물을 2dl만큼
컵에 따른 후, 또 다른 컵에 3dl만큼
더 따랐다면 물병에 남은 물의 양은
얼마인가요?

정답 : _____

❹ 물병에 물이 1l 있어요. 물을 3dl만큼
컵에 따른 후, 또 다른 컵에 6dl만큼
더 따랐다면 물병에 남은 물의 양은
얼마인가요?

정답 : _____

❺ 사과 주스를 1l 만들어야 해요.
먼저 사과 주스를 1dl만큼 만들었어요.
더 만들 주스의 양은 얼마인가요?

정답 : _____

❻ 포도 주스를 1l 만들어야 해요.
먼저 포도 주스를 3dl만큼 만들었어요.
더 만들 주스의 양은 얼마인가요?

정답 : _____

7. 주스의 양을 계산한 후, 양을 비교하여 >, =, <를 알맞게 써넣어 보세요.

_____ dl [ ] _____ dl   _____ dl [ ] _____ dl

_____ dl [ ] _____ dl   _____ dl [ ] _____ dl

8. □ 안에 >, =, <를 알맞게 써넣어 보세요.

6 × 2 dl + 8 dl [ ] 4 × 4 dl + 4 dl   6 × 5 dl − 15 dl [ ] 5 × 5 dl − 10 dl

7 × 4 dl + 13 dl [ ] 4 × 6 dl + 16 dl   9 × 4 dl − 15 dl [ ] 5 × 7 dl − 13 dl

9. 아래 글을 읽고 정답을 구해 보세요.

❶ 주스가 2l 필요해요. 5dl짜리 주스 몇 병이 필요한가요?

정답 : _____

❷ 물 1dl와 크림 2dl를 그릇에 넣고 섞었어요. 여기에 우유를 부어 소스를 2l 만든다고 할 때, 필요한 우유의 양은 얼마인가요?

정답 : _____

❸ 할아버지는 10l짜리 양동이에 물을 5dl만큼 부었어요. 양동이를 가득 채우려면 물이 얼마나 더 필요한가요?

정답 : _____

_____월 _____일 _____요일

1. 주어진 조건에 맞게 색칠해 보세요.

`1m`

```
10 cm      500 m      50 cm + 10 cm      110 cm
           100 cm                        500 cm
  30 cm + 70 cm       8 m
    3 m – 2 m         30 m
90 cm + 5 cm    1 m   30 m   500 cm
800 m      100 cm     1 km
           1 m              500 cm
  10 m        30 m     5 cm
           11 m – 10 m              300 cm
                25 cm + 75 cm    50 cm +
200 cm    1000 m    60 cm + 40 cm    50 cm
                  10 cm + 90 cm
                500 cm    500 m
```

`1km`

```
100 m      60 m + 940 m    1 m    470 m + 100 m
900 m                      990 m
                                   2 m – 1 m
           2 km – 1 km    1 km     1 km   10 m – 9 m
999 m                                     1000 km
           500 m + 400 m           300 m + 700 m
                           1 km
           100 m    100 km    500 m + 500 m    10 km – 9 km
           1 km
  10 m          600 m + 400 m
           200 m + 800 m                       1 m
```

2. 더해서 1kg이 되는 무게를 골라 ○표 해 보세요.

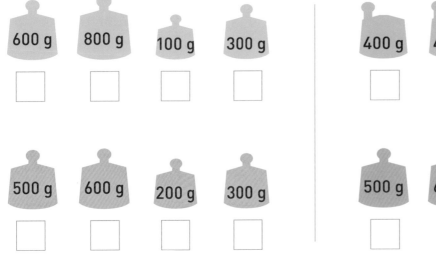

600 g   800 g   100 g   300 g
☐   ☐   ☐   ☐

500 g   600 g   200 g   300 g
☐   ☐   ☐   ☐

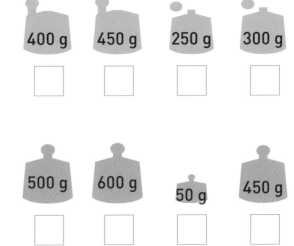

400 g   450 g   250 g   300 g
☐   ☐   ☐   ☐

500 g   600 g   50 g   450 g
☐   ☐   ☐   ☐

3. 계산해 보세요.

7 dl + 2 dl = _____

4 dl + 4 dl = _____

5 dl + 5 dl = _____

3 dl + 6 dl = _____

1 l − 3 dl = _____

1 l − 6 dl = _____

1 l − 2 dl − 1 dl = _____

1 l − 4 dl − 5 dl = _____

4. 빈칸에 알맞은 값을 구해 보세요.

3 dl + 3 dl + _____ dl = 1 l

_____ dl + 5 dl + 4 dl = 1 l

2 dl + _____ dl + 2 dl = 1 l

_____ dl + 2 dl + 3 dl = 1 l

5. 아래 글을 읽고 정답을 구해 보세요.

❶ 50cm 길이의 노란 리본이 있어요. 20cm를 잘라내면 남은 리본의 길이는 얼마인가요?

정답 : _____

❷ 시리얼 통에 시리얼이 700g 있어요. 아침에 시리얼을 300g 먹었다면 남은 시리얼의 무게는 얼마인가요?

정답 : _____

❸ 주스가 1l 필요해요. 2dl가 들어 있는 주스 몇 병이 필요한가요?

정답 : _____

얼마나 잘했나요?

실력이 자란 만큼 별을 색칠하세요.

 ★★★ 정말 잘했어요.

★★☆ 꽤 잘했어요.

★☆☆ 계속 노력할게요.

1

8dl의 주스를 2dl의 주스 잔에
따른다면 몇 개의 컵이 필요한지 색칠해 보세요.

2

1kg이 나오는 길을 따라가 보세요.

500 g + 500 g	984 g	840 g + 60 g	900 g + 100 g
400 g + 600 g	999 g	1000 g – 1 g	850 g + 150 g
550 g + 450 g	1 kg – 0 g	5 kg – 4 kg	7 kg – 6 kg
10 kg – 5 kg	500 g + 200 g	900 g + 50 g	750 g + 200 g

3

그림을 보고 블록 1개의 무게를 구해 보세요.

❶ 블록 1개의 무게는 _____g

❷ 블록 1개의 무게는 _____g

4

계산해 보세요.

100 cm − 90 cm = _____ 　　400 m + 120 m = _____

100 cm − 25 cm = _____ 　　150 m + 300 m = _____

　100 cm − 5 cm = _____ 　　500 m + 500 m = _____

1 km − 300 m = _____

1 km − 800 m = _____

1 km − 650 m = _____

5

★★★

표를 보고 그림의 값을 구해 보세요.

👟	👟	🔔	⬭	670
🎾	🎾	🎾	🎾	360
🚩	🚩	🎾	🎾	260
◣	🎾	🎾	👟	560
510	420	390	530	

👟 = _____

🔔 = _____

⬭ = _____

🎾 = _____

🚩 = _____

◣ = _____

1. 길이를 더한 합이 1km가 되도록 이어 보세요.

2. 길이를 더한 합이 2km가 되도록 이어 보세요.

3. 규칙을 알아내어 빈칸에 알맞은 수를 구해 보세요.

A	C	E	H	I	L	M	N
0	10	30			150		280

O	Q	R	S	T	U	'	!
360		550				1050	1200

150은 L을 써야 해~!

수에 해당하는 알파벳을 써넣어 암호를 풀어 보세요.

150	30	780	1050	660

10	360	280	450	910	30	550

780	60	30

210	360	910	280	780	0	100	280	1200

4. 식이 맞으면 ○, 틀리면 X라고 써넣어 보세요.

14 l 7 dl + 9 l 8 dl > 25 l ☐　　　　30 l – 17 l 8 dl < 12 l 6 dl ☐

27 l 9 dl + 8 l 5 dl > 36 l ☐　　　　23 l – 15 l 5 dl < 6 l 5 dl ☐

35 l 6 dl + 7 l 6 dl < 44 l ☐　　　　56 l – 19 l 7 dl > 37 l 7 dl ☐

5. 빈칸에 들어갈 알맞은 수를 구해 보세요.

480 g + _____ g = 730 g　　　　850 m – _____ m = 785 m

370 g + _____ g = 450 g　　　　659 m – _____ m = 549 m

828 g + _____ g = 950 g　　　　437 m – _____ m = 150 m

604 g + _____ g = 1000 g　　　　1000 m – _____ m = 639 m

6. 아래 글을 읽고 정답을 구해 보세요.

❶ 조엘은 애니보다 2cm가 작아요. 애니는 요나보다 2cm가 작아요. 세 아이의 키를 모두 더하면 390cm예요. 조엘의 키는 얼마인가요?

정답 : _____

❷ 개미가 3m를 갈 동안 무당벌레는 4m를 갈 수 있어요. 개미가 18m를 갔다면 무당벌레가 간 거리는 얼마인가요?

정답 : _____

❸ 토미는 에이미보다 8cm가 크고 샘보다 5cm 작아요. 빅터는 샘보다 16cm 더 작지만, 마이클보다 6cm가 더 커요. 에이미의 키가 128cm일 때 각 친구들의 키를 표에 써넣어 보세요.

이름	토미	에이미	샘	빅터	마이클
키					

4 몇 시 30분

긴바늘(분침)
짧은바늘(시침)

9시

9시 30분
=9시 반

긴바늘이 정확하게 12를 가리키면 정각을 나타내요.
1시간=60분

긴바늘이 정확하게 6을 가리키면 30분을 나타내요.
1시간의 반=30분

1. 몇 시인가요?

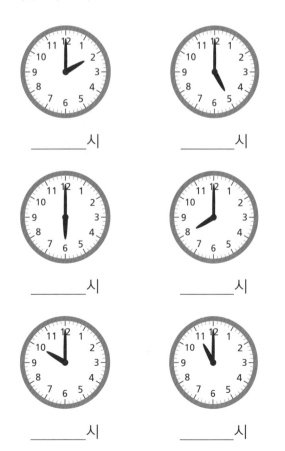

_____시 _____시

_____시 _____시

_____시 _____시

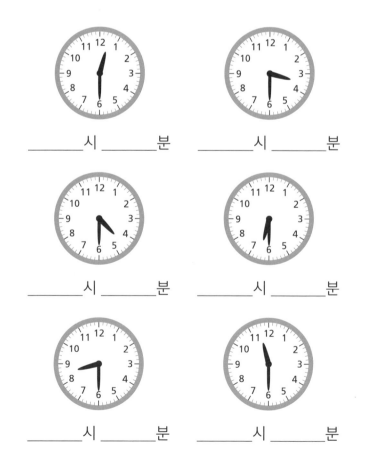

_____시 _____분 _____시 _____분

_____시 _____분 _____시 _____분

_____시 _____분 _____시 _____분

2. 시각에 맞게 시곗바늘을 그려 넣어 보세요.

5시   5시 30분   6시   6시 30분   7시

12시 30분   1시   1시 30분   2시   2시 30분

3. 시각에 맞게 시곗바늘을 그려 넣어 보세요.

7시 30분   8시   8시 30분   9시

알렉은 일어나요.   알렉은 아침을 먹어요.   알렉은 밖으로 나가요.   알렉은 반려견과 산책해요.

한 번 더 연습해요!

1. 몇 시인가요?

_____시   _____시 30분

2. 계산해 보세요.

23 + 4 = _____

46 + 2 = _____

71 + 5 = _____

28 + 3 = _____

4. 몇 시인가요?

_____   _____   _____

_____   _____   _____

_____   _____   _____

5. 30분씩 늘어나는 시각이 나오는 길을 따라가 보세요.

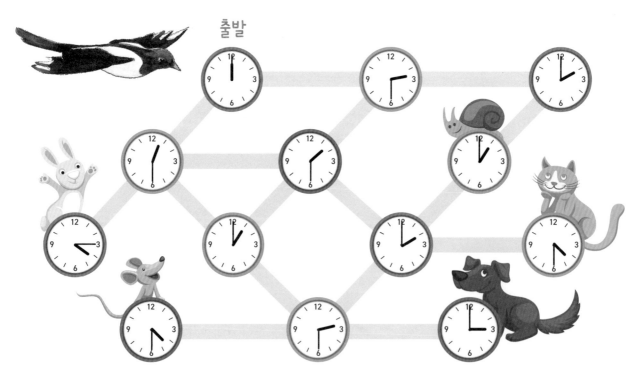

출발

새가 만난 동물은 누구인가요? _____

6. 계산한 후 정답을 찾아 ○표 해 보세요.

15 + 45 = _____   60 – 10 = _____

10 + 25 = _____   50 – 25 = _____

35 + 10 = _____   30 – 25 = _____

40 + 15 = _____   60 – 45 = _____

| 5 | 15 | 25 | 35 | 40 | 45 | 50 | 55 | 60 |

7. 규칙에 따라 빈칸에 알맞은 시곗바늘을 그려 보세요.

8. 알렉과 엠마의 시계를 찾아 바르게 이어 보세요.

알렉의 시계
- 전자시계는 아니에요.
- 시계가 둥근 모양이에요.
- 정각을 가리키고 있어요.

엠마의 시계
- 시계가 둥근 모양이에요.
- 정각이 아니에요.
- 알렉의 시계보다 30분 전을 가리키고 있어요.

5 곱셈

1. 시계는 5씩 늘어나는 5단과 같아요. 5씩 뛰어 세며 □ 안을 채워 보세요.

2. 그림을 보고 식을 쓴 후 답을 구해 보세요.

500원 × 4 = _____

_____

_____

_____

_____

_____

3. 규칙에 따라 수를 써넣어 보세요.

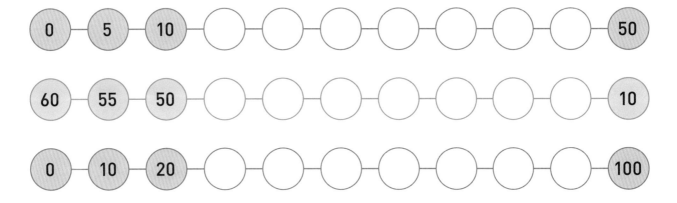

| 0 | 5 | 10 | | | | | | | | 50 |

| 60 | 55 | 50 | | | | | | | | 10 |

| 0 | 10 | 20 | | | | | | | | 100 |

| 100 | 95 | 90 | | | | | | | | 50 |

4. 계산해 보세요.

5 × 3 = _____   10 × 4 = _____   5 × _____ = 20

5 × 5 = _____   10 × 0 = _____   5 × _____ = 45

5 × 7 = _____   10 × 7 = _____   10 × _____ = 80

한 번 더 연습해요!

1. 식을 쓴 후 정답을 구해 보세요.

_____

_____

2. 계산해 보세요.

5 × 2 = _____

5 × 0 = _____

5 × 6 = _____

5 × 10 = _____

10 × 2 = _____

10 × 5 = _____

5. 곱셈식을 완성해 보세요.

×	2	5	10
1			
2		10	
5			50
10			

6. 계산값에 맞게 색칠해 보세요.

6 ● 12 ● 14 ● 15 ○ 16 ● 35 ● 40 ●

2 × 10 − 5
2 × 3
6 × 2

5 × 3
2 × 2 + 2

6 × 2 − 6
4 × 2 + 7
10 × 2 − 4

5 × 8
1 × 2 + 4
7 × 2

4 × 10
7 × 2
3 × 2

3 × 5
9 × 2 − 3
4 × 5 − 8
5 × 3
2 × 5 + 5

2 × 8
5 × 3
7 × 5

2 × 6
5 × 2 + 2
2 × 7
6 × 2
4 × 2 + 4

6 × 2
3 × 5
6 × 1

7. □ 안에 >, =, <를 알맞게 써넣어 보세요.

15 ☐ 2 × 7	5 × 6 ☐ 35	10 × 2 ☐ 17 + 5
18 ☐ 9 × 2	5 × 8 ☐ 30	6 × 5 ☐ 26 + 4
14 ☐ 6 × 2	7 × 5 ☐ 40	4 × 5 ☐ 30 − 10
20 ☐ 8 × 2	9 × 5 ☐ 45	9 × 2 ☐ 28 − 10

8. 빈칸에 알맞은 수를 구한 후, 정답을 찾아 ○표 해 보세요.

2 × 8 + _____ = 24	5 × _____ + 7 = 37	5 × _____ + 10 = 25
9 × 2 + _____ = 22	5 × _____ + 5 = 30	9 × _____ + 10 = 100
2 × 6 − _____ = 3	5 × _____ + 9 = 44	5 × _____ − 10 = 0

1 2 3 4 5 6 7 8 9 10

9. 아래 글을 읽고 책의 주인을 알아맞혀 보세요.

- 시에나의 책 번호는 2, 5, 10단에 나오는 수와 같아요.
- 로라의 책 번호는 2단에 나오는 수와 같아요.
- 토니의 책 번호는 5단에 나오는 수와 같아요.
- 마벨의 책 번호에서 4를 뺀 값은 5단에 나오는 수와 같아요.
- 헨리의 책 번호에 4를 더하면 2단과 10단에 나오는 수와 같아요.
- 콜린의 책 번호에 3을 더하면 2단과 10단에 나오는 수와 같아요.

65   46   32   57   60   49

_____   _____   _____

6 몇시몇분

정각
5분
10분
15분
20분
25분
30분
5분

11시 20분입니다.

1. 몇 시인가요?

_____시 정각

_____시 _____분

_____시 정각

_____시 _____분

_____시 _____분

_____시 _____분

_____시 _____분

_____시 _____분

_____시 _____분

_____시 _____분

_____시 _____분

_____시 _____분

2. 시각에 맞게 시곗바늘을 그려 넣어 보세요.

10시 5분　　　11시 20분　　　6시 15분　　　8시

2시 25분　　　4시 15분　　　5시　　　9시 5분

3. 시각에 맞게 시곗바늘을 그려 넣어 보세요.

2시 5분　　　　　2시 15분　　　　　2시 25분　　　　　3시 15분

알렉은 집에 와요.　알렉은 책을 읽어요.　알렉은 간식을 먹어요.　알렉은 스케이트를 타러 가요.

한 번 더 연습해요!

1. 몇 시인가요?

_____시　　____시____분　　____시____분

2. 계산해 보세요.

$5 × 5 + 2 =$ _____

$3 × 5 + 3 =$ _____

$8 × 5 + 5 =$ _____

$4 × 5 + 7 =$ _____

4. 같은 시각끼리 이어 보세요.

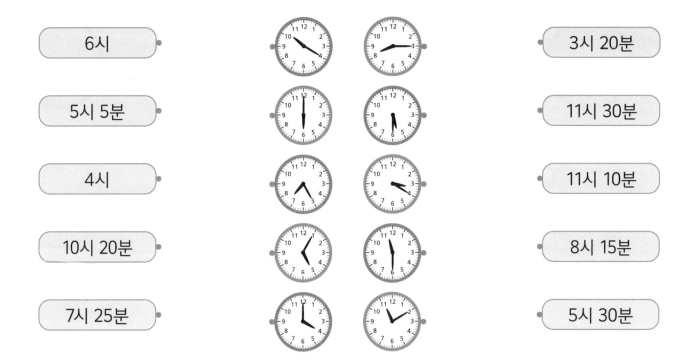

| 6시 |
| 5시 5분 |
| 4시 |
| 10시 20분 |
| 7시 25분 |

| 3시 20분 |
| 11시 30분 |
| 11시 10분 |
| 8시 15분 |
| 5시 30분 |

5. 조건에 맞게 색칠해 보세요. 정각 ● 30분 ● 그 외의 시각 ○

6. 몇 분이 지났나요?

_____분   _____분   _____분   _____분   _____분

_____분   _____분   _____분   _____분   _____분

7. 규칙에 따라 빈칸에 알맞은 시곗바늘을 그려 넣어 보세요.

7 30분 전과 몇 분 전

정각
5분 전
10분 전
15분 전
20분 전
25분 전
30분 전
5분 전

12시 25분 전

1. 몇 시인가요?

_____시 30분

_____시 _____분 전

_____시 30분

_____시 _____분 전

_____시 _____분 전

_____시 _____분 전

_____시 _____분 전

_____시 _____분 전

_____시 _____분 전

_____시 _____분 전

_____시 _____분 전

_____시 _____분 전

2. 시각에 맞게 시곗바늘을 그려 넣어 보세요.

1시 5분 전   2시 20분 전   6시 15분 전   9시 10분 전

10시 25분 전   10시 15분 전   10시 30분   12시 20분 전

3. 시각에 맞게 시곗바늘을 그려 넣어 보세요.

5시 20분 전	5시 10분 전	5시 30분	6시 5분 전
알렉이 집으로 와요.	알렉이 저녁을 먹어요.	알렉이 게임을 해요.	알렉이 씻어요.

한 번 더 연습해요!

1. 몇 시인가요?

_____시 30분   _____시 _____분 전   _____시 _____분 전

2. 계산해 보세요.

$4 \times 5 - 6 =$ _____

$9 \times 5 - 2 =$ _____

$6 \times 5 - 7 =$ _____

$7 \times 5 - 5 =$ _____

4. 같은 시각끼리 이어 보세요.

9시 5분 전 •

8시 10분 •

1시 25분 •

8시 10분 전 •

7시 20분 전 •

• 3시 20분

• 11시 25분

• 5시 5분 전

• 12시 15분 전

• 5시 5분

5. 조건에 맞게 색칠해 보세요.   정각 ● 30분 ● 몇 분 전 ○ 분 ●

6. 시간이 얼마나 걸렸나요? 정답을 찾아 ○표 해 보세요.

엠마의 학교 일과는 _____ 시간 걸려요.

점심 먹는 시간은 _____ 분 걸려요.

숙제하는 데 _____ 분 걸려요.

친구와 노는 데 _____ 시간 걸려요.

체육관까지 가는 데 _____ 분 걸려요.

플로어볼 연습 시간은 _____ 시간 _____ 분 걸려요.

저녁에 책을 읽는 데 _____ 분 걸려요.

엠마는 _____ 시간 자요.

15분　　20분　　25분　　30분　　1시간 5분　　2시간　　2시간 10분　　4시간　　10시간

8 시간

1. 알렉이 체육관으로 출발한 시각은 9시 15분이고, 도착한 시각은 9시 40분이에요. 걸린 시간을 구해 보세요.

9시 15분

_____분

_____분

_____분

2. 알렉은 10시 5분 전에 체육관에 들어갔어요. 운동하는 데 걸린 시간을 구해 보세요.

10시 5분 전

_____분

_____분

_____분

3. 알렉은 5시 10분에 하키장으로 출발했어요. 하키장까지 가는 데 걸린 시간을 구해 보세요.

5시 10분

_____분

_____분

_____분

4. 알렉은 6시 15분 전에 하키 경기를 시작했어요. 경기하는 데 걸린 시간을 구해 보세요.

6시 15분 전

_____분

_____분

_____분

5. 알렉은 7시 5분 전에 샤워를 시작했어요. 샤워하는 데 걸린 시간을 구해 보세요.

7시 5분 전

_____분

_____분

_____분

한 번 더 연습해요!

1. 6시 20분 전에 운동을 시작했어요.
운동하는 데 걸린 시간을 구해 보세요.

6시 20분 전

_____분

2. 계산해 보세요.

$4 \times 5 + 6 =$ _____

$9 \times 5 + 2 =$ _____

$3 \times 5 + 7 =$ _____

$7 \times 5 - 4 =$ _____

$6 \times 5 - 8 =$ _____

6. 그림을 보고 걸린 시간을 구해 보세요.

학교까지 가는 데 걸린 시간

_____ 분

수업하는 데 걸린 시간

_____ 분

점심 먹는 데 걸린 시간

_____ 분

숙제하는 데 걸린 시간

_____ 분

밖에서 노는 데 걸린 시간

_____ 분

독서하는 데 걸린 시간

_____ 분

7. 15분씩 차이 나는 시각을 따라가 보세요.

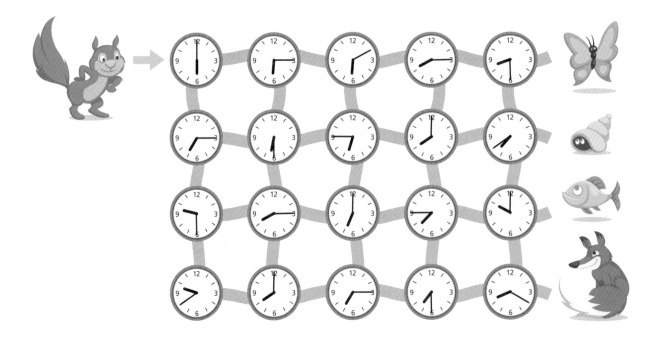

8. 아래 글을 읽고 알맞은 시각을 써 보세요.

❶ 로라는 피아노 레슨을 3시 30분에 시작해서 40분 동안 받아요. 몇 시에 피아노 레슨이 끝나나요?

정답 : _____

❷ 미셸은 드럼 레슨을 5시에 마쳐요. 드럼 레슨은 50분 동안 받아요. 드럼 레슨은 몇 시에 시작되나요?

정답 : _____

❸ 윌슨은 바이올린 레슨을 7시 15분 전에 마쳐요. 바이올린 레슨은 35분 동안 받아요. 바이올린 레슨은 몇 시에 시작되나요?

정답 : _____

9. 시계와 시계 주인을 바르게 이어 보세요. 지금 시각은 3시예요.

내 시계는 40분 전을 가리키고 있어.

내 시계는 20분이 지났어.

내 시계는 30분이 느려.

놀이 수학

시계 놀이

인원 : 2명　　준비물 : 123쪽 활동지, 주사위 2개

✏️ 놀이 방법

1. 각자 활동지 시계에 정각 12시를 그려요.
2. 번갈아 가며 주사위 2개를 굴려요. 주사위 1개가 5가 나오면 5분을, 2개 모두 5가 나오면 10분을 갈 수 있어요. 그 외의 수가 나오면 시곗바늘을 움직일 수 없고, 순서를 바꿔요.
3. 활동지 시계에 시곗바늘을 그려 가며 한 바퀴를 먼저 도는 사람이 이겨요.

10. 시각에 맞게 시곗바늘을 그려 넣어 보세요.

6시 30분

7시 15분

9시

12시 10분 전

1시 25분

4시 5분 전

7시 20분

9시 15분 전

11. 규칙에 따라 버스 시간표를 채워 보세요.

| 8 : 10 | 8 : 20 | 8 : 30 | | | |

| 8 : 50 | 8 : 55 | 9 : 00 | | | |

| 12 : 50 | 13 : 15 | | 14 : 05 | |

긴바늘
짧은바늘
시 분
7 : 10

12. 인형이 시계를 가렸어요. 몇 시인지 알아맞혀 보세요.

지금 시각은
8시 20분 전에서
20분이 흘렀어요.

지금은 _____ 입니다.

지금 시각은
9시 25분 전에서
35분이 흘렀어요.

지금은 _____ 입니다.

지금 시각은
7시 20분에서
20분이 흘렀어요.

지금은 _____ 입니다.

지금 시각은
6시 15분에서
50분이 흘렀어요.

지금은 _____ 입니다.

9 프로그래밍

1. 점과 점 사이를 가는 데 5분이 걸려요. 가장 짧은 길을 따라갈 때 걸리는 시간을
구해 보세요.

집-학교	35분	할머니 집-도서관	
집-공원		가게-공원	
집-가게		도서관-수영장	
집-도서관		공원-할머니 집	
집-할머니 집		새의 집-다람쥐의 집	
집-수영장		다람쥐의 집-언덕	

2. 아래 지시에 따라 움직여 보세요. 지나간 길은 ☐ 안에 X표 해 보세요.

☐	1시간 뒤
☐	2시간 뒤
☐	1시간 뒤
☐	2시간 뒤
☐	1시간 뒤
☐	2시간 뒤
☐	1시간 뒤
☐	1시간 뒤
☐	2시간 뒤
☐	3시간 뒤
☐	2시간 뒤

스톡홀름

레이캬비크

헬싱키

오슬로

코펜하겐

한 번 더 연습해요!

1. 52쪽에 있는 그림을 보고 문제를 풀어 보세요.

점과 점 사이를 가는 데 5분이 걸려요. 가장 짧은 길을 따라갈 때 걸리는 시간을 구해 보세요.

새의 집-마구간 ＿＿＿＿＿＿＿＿＿＿＿＿

학교-다람쥐의 집 ＿＿＿＿＿＿＿＿＿＿＿＿

가게-마구간 ＿＿＿＿＿＿＿＿＿＿＿＿

2. 계산해 보세요.

23 + 9 = ＿＿＿＿

43 + 8 = ＿＿＿＿

37 + 7 = ＿＿＿＿

54 + 6 = ＿＿＿＿

77 + 5 = ＿＿＿＿

3. 계산한 후 정답에 해당하는 알파벳을 찾아 써넣으세요.

28 + 17 = _____ ☐   5 × 6 = _____ ☐   3 × 5 − 5 = _____ ☐

60 − 10 = _____ ☐   7 × 5 = _____ ☐   4 × 5 − 4 = _____ ☐

26 + 9 = _____ ☐   9 × 2 = _____ ☐   10 × 2 − 2 = _____ ☐

43 − 25 = _____ ☐   10 × 4 = _____ ☐   2 × 7 + 4 = _____ ☐

32 − 12 = _____ ☐   4 × 5 = _____ ☐   5 × 3 + 5 = _____ ☐

10	16	18	20	30	35	40	45	50
S	U	N	Y	W	I	D	R	A

4. 표를 보고 시각에 맞게 시곗바늘을 그려 넣어 보세요.

	4시	7시	9시
정각	(시계)	(시계)	(시계)
30분	(시계)	(시계)	(시계)
15분	(시계)	(시계)	(시계)
20분 전	(시계)	(시계)	(시계)

5. □ 안에 ＞, ＝, ＜를 알맞게 써넣어 보세요.

6 × 5 □ 23 + 8   5 × 8 □ 74 − 35   9 × 5 − 17 □ 13 + 14

7 × 5 □ 18 + 17   2 × 9 □ 36 −18   2 × 9 + 24 □ 63 − 21

6. 아래 글을 읽고 집 주인과 취미를 알아맞혀 보세요.

집주인 : _____   집주인 : _____   집주인 : _____   집주인 : _____

취미 : _____   취미 : _____   취미 : _____   취미 : _____

- 토마스는 플로어볼을 즐겨 해요.
- 스키를 타는 사람과 춤추는 사람은 이웃이 아니에요.
- 레이의 집 번호는 5단에 있어요.
- 에밀리는 춤추는 걸 좋아하는 사람의 옆집에 살아요.

- 믹의 집 번호는 7의 3배예요.
- 토마스의 집 번호는 54를 절반으로 나눈 값이에요.
- 수영하는 사람은 레이의 옆집에 살아요.
- 믹의 취미는 춤이에요.

> 스스로 문제를 만들어 풀어 보세요.

7. 로봇의 작동 원리를 알아낸 후, 알맞은 수를 구해 보세요.

8. 몇 시인가요?

_____

_____   _____   _____   _____

_____   _____   _____   _____

9. 시각에 맞게 시곗바늘을 그려 넣어 보세요.

12시 10분   6시 30분   8시 15분 전   11시 25분

10. 엠마는 7시 15분에 집에서 출발했어요. 출발한 때부터 얼마의 시간이 지났나요?

7시 15분

_____분

_____분

_____분

11. 시각에 맞게 시곗바늘을 그려 넣어 보세요.

10시 10분
알렉은 수영장으로
출발했어요.

11시 15분 전
수영장에
도착했어요.

11시 15분
샤워실에
들어갔어요.

11시 20분
샤워실에서
나왔어요.

11시 30분
수영장에
들어갔어요.

12시 5분
수영장에서
나왔어요.

한 번 더 연습해요!

1. 몇 시인가요?

_____

_____

_____

2. 계산해 보세요.

25 - 6 = _____

34 - 8 = _____

53 - 4 = _____

47 - 9 = _____

62 - 7 = _____

12. 같은 시각끼리 이어 보세요.

3시 20분 전

2시 10분

3시 5분 전

3시 15분

2시 25분 전

3시 20분

13. 몇 시인가요?

14. 같은 시각끼리 이어 보세요.

6 : 55

8 : 35

7 : 30

6 : 05

2 : 50

2 : 15

15. 규칙에 따라 시간표를 채워 보세요.

7 : 20   7 : 30   7 : 40

19 : 02   19 : 04   19 : 06

16. 고양이가 언제 잠에서 깼는지 알아맞혀 보세요.

| 6 : 35 | 6 : 15 | 6 : 20 | 6 : 40 |

- 슈가는 셀리보다 15분 전에 깼어요.
- 신디는 스팟보다 25분 후에 깼어요.

1. 몇 시인가요?

_____

_____

_____

_____

_____

_____

2. 시각에 맞게 시곗바늘을 그려 넣어 보세요.

8시 15분

6시

7시 10분 전

3시 25분 전

9시 30분

11시 15분 전

3. 같은 시각끼리 이어 보세요.

6시 10분

4시 15분 전

1시 25분 전

7시 10분

10시 30분

10시

4. 시각에 맞게 시곗바늘을 그려 넣어 보세요.

알렉은 11시 15분에
집에서 출발했어요.

알렉은 12시 10분 전에
도서관에 도착했어요.

걸린 시간은
_____분이에요.

5. 몇 시인지 알아맞혀 보세요.

❶ 엘라의 피아노 레슨은 4시 30분에 시작해서
30분 동안 해요. 피아노 레슨이 끝나는
시각은 몇 시인가요?

_____

❷ 레오의 바이올린 레슨은 6시에 끝나요.
45분간 했다면 바이올린 레슨은
몇 시에 시작했나요?

_____

얼마나
잘했나요?

실력이 자란 만큼 별을 색칠하세요.

★★★ 정말 잘했어요.

★★☆ 꽤 잘했어요.

★☆☆ 계속 노력할게요.

단원 평가

1 시각에 맞게 시곗바늘을 그려 넣어 보세요.

2시 15분 전   7시   9시 25분   2시 30분

2 규칙에 따라 수를 써넣어 보세요.

10 — 15 — 20 — ◯ — ◯ — ◯ — ◯ — ◯ — ◯ — ◯ — 60

95 — 85 — 75 — ◯ — ◯ — ◯ — ◯ — ◯ — ◯ — 5

3 1분이 안 걸리는 것에 ◯표 해 보세요.

가게에 다녀올 수 있어요.	
내 방을 청소할 수 있어요.	
공을 20번 칠 수 있어요.	
내 손을 닦을 수 있어요.	
어린이 TV 프로그램을 볼 수 있어요.	
만화책을 볼 수 있어요.	
내 이름을 쓸 수 있어요.	
연필을 깎을 수 있어요.	

4 규칙에 따라 시곗바늘을 그려 넣어 보세요.

5 ★★★ □ 안에 알맞은 시각을 써 보세요.

출발

| 6 : 10 | + 10분 | 6 : 20 | + 20분 |

+ 5분

+ 15분

+ 25분

+ 30분

7 : 55

1. 규칙에 따라 시곗바늘을 그려 넣어 보세요.

2. 언제 수영장에 도착했는지 시곗바늘을 그려 넣어 보세요.

- 케빈은 2시 15분 전에 수영장에 도착했어요.
- 닐스는 케빈보다 30분 전에 도착했어요.
- 알렉은 케빈보다 75분 후에 도착했어요.

- 진은 11시 15분에 수영장에 도착했어요.
- 조이는 진보다 25분 전에 도착했어요.
- 토미는 조이보다 80분 후에 도착했어요.

| 케빈 | 닐스 | 알렉 | 진 | 조이 | 토미 |

3. 규칙에 따라 알맞은 시각을 써넣어 보세요.

10 : 15	10 : 30	10 : 45				

6 : 20	6 : 50	7 : 20				

8 : 35	8 : 45	8 : 55				

4. 표를 보고 빈칸을 채워 보세요.

출발	도착	걸린 시간
8 : 00	8 : 20	분
9 : 10	9 : 20	
10 : 25	10 : 55	
11 : 05	12 : 00	

출발	도착	걸린 시간
	6 : 20	10분
	7 : 50	20분
	8 : 20	25분
	9 : 25	35분

문제를 풀기 어려우면 모형 시계를 이용하렴~!

10 세 자리 수

100이 10개이면 1000

10이 10개이면 100

1이 10개이면 10

백의 자리	십의 자리	일의 자리
4	5	3

= 400 + 50 + 3
사백오십삼이라고 읽어요.

1. 수 막대를 보고 자릿값에 맞게 수를 나타내 보세요.

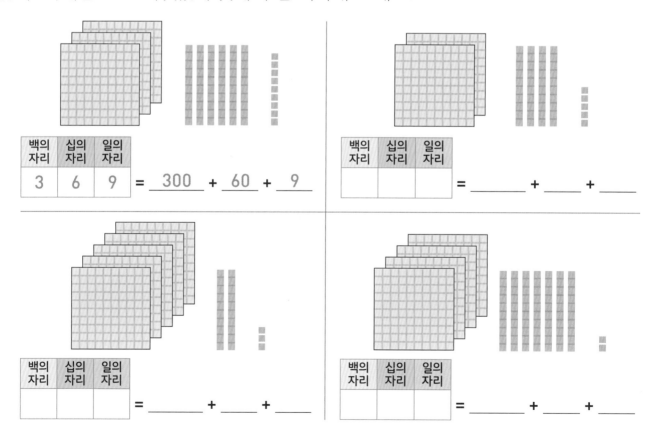

백의 자리	십의 자리	일의 자리
3	6	9

= __300__ + __60__ + __9__

백의 자리	십의 자리	일의 자리

= _____ + _____ + _____

백의 자리	십의 자리	일의 자리

= _____ + _____ + _____

백의 자리	십의 자리	일의 자리

= _____ + _____ + _____

2. 값이 같은 것끼리 이어 보세요.

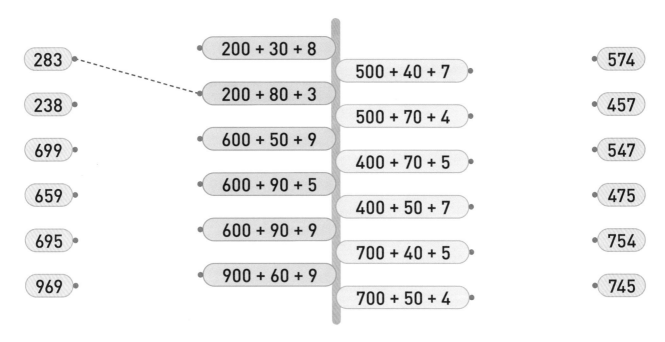

283	200 + 30 + 8
238	200 + 80 + 3
699	600 + 50 + 9
659	600 + 90 + 5
695	600 + 90 + 9
969	900 + 60 + 9

500 + 40 + 7	574
500 + 70 + 4	457
400 + 70 + 5	547
400 + 50 + 7	475
700 + 40 + 5	754
700 + 50 + 4	745

3. 자릿값에 맞게 수를 나타내 보세요.

248 = <u>200 + 40 + 8</u>

485 = _____

317 = _____

938 = _____

한 번 더 연습해요!

1. 수 막대를 보고 자릿값에 맞게 수를 나타내 보세요.

백의 자리	십의 자리	일의 자리

= _____ + _____ + _____

2. 자릿값에 맞게 수를 나타내 보세요.

154 = _____

763 = _____

272 = _____

491 = _____

636 = _____

4. 규칙에 따라 수를 써넣어 보세요.

98			101	

	498			501

202	201			198

888		886		884

	398			401

772			769	

510			507	

889		891		

5. 조건에 맞게 색칠해 보세요.

0 < ● < 200   200 < ● < 500   500 < ● < 700   700 < ○ < 1000

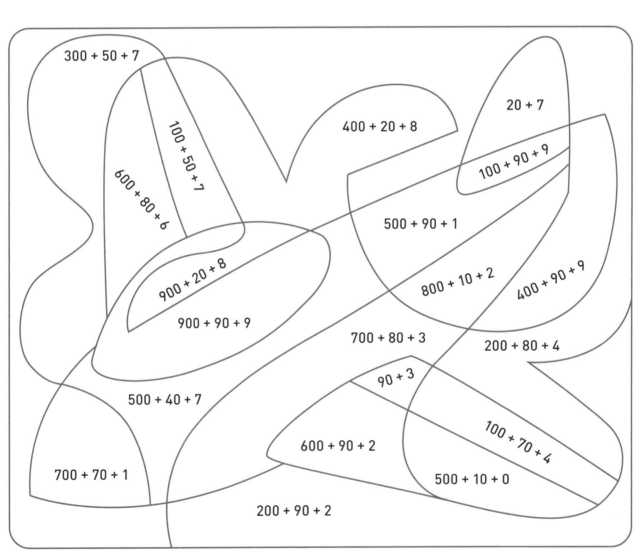

6. 일의 자리 수가 백의 자리 수보다 큰 수에만 색칠해 보세요.

203	583	718	691	245	607	174	830	549	129	889
648	817	356	231	196	231	321	333	264	744	644
204	653	809	694	132	765	521	662	125	868	773
677	908	538	483	496	819	752	742	608	479	869
642	374	674	391	455	675	853	865	554	800	447
535	182	513	939	384	342	999	767	331	662	236
785	199	818	121	193	356	419	342	748	345	334

어떤 글자가 보이니?

7. 아래 글을 읽고 지갑의 주인을 알아맞혀 보세요.

118 €   135 €   132 €   162 €

_____   _____   _____   _____

- 앤이 가진 돈에 30유로를 더하면 맥스보다 돈이 더 많아져요.
- 맥스가 가진 돈에 27유로를 더하면 올리가 가진 돈과 같아요.
- 메이가 앤에게 7유로를 주면 둘은 가진 돈이 같아져요.

11 1000

천의 자리	백의 자리	십의 자리	일의 자리
1	0	0	0

100이 10개이면 1000

1. 수 배열표를 보고 가려진 수의 값을 구해 보세요.

10	20	30	40	50	60	70	80	90	100
110	120	130	140	150	160	170	180	190	200
210	220	🔑	240	250	🌙	270	280	290	300
310	320	330	340	350	360	370	💍	390	400
410	420	430	440	450	💎	470	480	490	500
510	💵	🪶	540	550	560	570	580	590	600
610	620	630	640	650	660	670	680	690	700
710	720	💍	740	750	📜	770	780	790	800
810	👑	830	840	850	860	870	880	890	900
910	💍	930	940	950	🦪	970	980	🛡	1000

🔑 = _____

📜 = _____

💵 = _____

👑 = _____

🪶 = _____

💍 = _____

🛡 = _____

🦪 = _____

2. 빈칸에 알맞은 수를 구해 보세요.

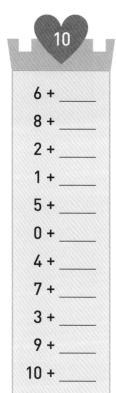

10	100	1000
6 + ＿＿＿	80 + ＿＿＿	200 + ＿＿＿
8 + ＿＿＿	30 + ＿＿＿	700 + ＿＿＿
2 + ＿＿＿	10 + ＿＿＿	100 + ＿＿＿
1 + ＿＿＿	50 + ＿＿＿	0 + ＿＿＿
5 + ＿＿＿	90 + ＿＿＿	400 + ＿＿＿
0 + ＿＿＿	60 + ＿＿＿	900 + ＿＿＿
4 + ＿＿＿	40 + ＿＿＿	800 + ＿＿＿
7 + ＿＿＿	20 + ＿＿＿	1000 + ＿＿＿
3 + ＿＿＿	70 + ＿＿＿	600 + ＿＿＿
9 + ＿＿＿	0 + ＿＿＿	300 + ＿＿＿
10 + ＿＿＿	100 + ＿＿＿	500 + ＿＿＿

3. 규칙에 따라 수를 써넣어 보세요.

300	400				800		

20	120			420			720

🐿️ **한 번 더 연습해요!**

1. 빈칸에 알맞은 수를 구해 보세요.

100 + ＿＿＿＿ = 1000   1000 = 600 + ＿＿＿＿

800 + ＿＿＿＿ = 1000   1000 = 300 + ＿＿＿＿

400 + ＿＿＿＿ = 1000   1000 = 1000 + ＿＿＿＿

500 + ＿＿＿＿ = 1000   1000 = 900 + ＿＿＿＿

4. 수 배열표를 생각하며 빈칸에 알맞은 수를 구해 보세요.

230	240	
	340	

560		
	670	
		780

800	390
900	

450 470

5. 세 자리 수를 써 보세요.

백오십삼

_____

삼백십이

_____

오백이십사

_____

팔백삼십

_____

6. 조건에 맞게 색칠해 보세요.

백의 자리 수가 5 ⬤   십의 자리 수가 4 ⬤   일의 자리 수가 7 ⬤

503 521 743 867 427 594 657 137 575 648 946 345

7. 더해서 주어진 수를 만들 수 있는 3개의 수를 찾아 ○표 해 보세요.

10

100

1000

400
100
800
600
200   500

200   900
100   0
100
300   400

100   600
700
800   200
400

8. 설명하는 수를 구름 속에서 찾아 써넣으세요.

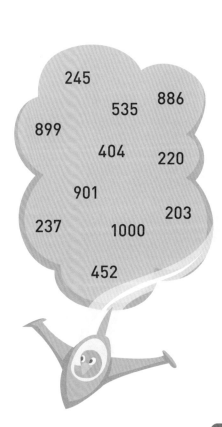

245
535   886
899
404   220
901
237   203
1000
452

● 세 자리 수 중에서 가장 큰 수는? _____

● 세 자리 수 중에서 가장 작은 수는? _____

● 790보다 크고 890보다 작은 수는? _____

● 세 자리 수가 아닌 수는? _____

● 차가 48인 두 수는? _____

● 합이 1000이 되는 세 수는? _____

12 일의 자리 또는 십의 자리 수가 0일 때

일의 자리가 0일 때

백의 자리	십의 자리	일의 자리
3	2	0

삼백이십

십의 자리가 0일 때

백의 자리	십의 자리	일의 자리
3	0	2

삼백이

1. 수 막대를 보고 자릿값에 맞게 수를 나타내 보세요.

백의 자리	십의 자리	일의 자리

= _____ + _____

백의 자리	십의 자리	일의 자리

= _____ + _____

백의 자리	십의 자리	일의 자리

= _____ + _____

백의 자리	십의 자리	일의 자리

= _____ + _____

백의 자리	십의 자리	일의 자리

= _____ + _____

백의 자리	십의 자리	일의 자리

= _____ + _____

2. 자릿값에 맞게 수를 나타내 보세요.

305 = _____300 + 5_____

108 = _____

649 = _____

990 = _____

210 = _____

470 = _____

503 = _____

909 = _____

3. 세 자리 수를 써 보세요.

삼백육십

360

사백구

_____

오백팔

_____

칠백사십

_____

팔백팔

_____

구백오십

_____

한 번 더 연습해요!

1. 수 막대를 보고 자릿값에 맞게 수를 나타내 보세요.

백의 자리	십의 자리	일의 자리

= _____ + _____

2. 자릿값에 맞게 수를 나타내 보세요.

720 = _____

106 = _____

802 = _____

609 = _____

241 = _____

4. 규칙에 따라 수를 써넣어 보세요.

126		128				132	
496		498					503
599					604		
	758			761			764
800	799			796		794	
811		809					804
852	851			848		846	
1000			997		995		

5. 조건에 맞게 색칠해 보세요.

십의 자리 수가 0 ⬤　　　　십의 자리 수가 3 ⬤

일의 자리 수가 0 ⬤　　　　일의 자리 수가 4 ⬤

6. 빈칸에 알맞은 수를 넣어 덧셈 계단을 완성해 보세요.

  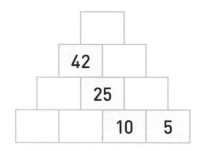

7. 아래 글을 읽고 친구들의 이름을 알아맞혀 보세요.

- 헨리와 주디는 백의 자리 수가 같아요.
- 리차드는 주디와 십의 자리 수가 같아요.
- 필립은 십의 자리 수가 0이에요.
- 로렌스의 수가 가장 커요.
- 리차드는 일의 자리 수가 0이에요.

_____ _____ _____

_____ _____

13 돈을 세어 보아요

20000원 + 3000원 + 500원
= 23500원

1. 돈은 모두 얼마인지 계산해 보세요.

_____

_____

_____

 책 뒤에 있는 모형 돈을 활용하세요.

2. 돈이 얼마인지 확인한 후, 자릿값에 맞게 돈을 그려 넣어 보세요.

12800원

만 원	천 원	백 원

25500원

만 원	천 원	백 원

3. 아래 글을 읽고 문제를 풀어 보세요.

❶ 캐시는 딱지 300개를 갖고 있었는데 40개를 더 받고, 마지막에 6개를 더 받았어요. 캐시가 받은 딱지는 모두 몇 개인가요?

정답 : _____

❷ 로라는 구슬 200개를 갖고 있었는데 80개를 더 받고, 마지막에 9개를 더 받았어요. 로라가 가진 구슬은 모두 몇 개인가요?

정답 : _____

한 번 더 연습해요!

1. 돈은 모두 얼마인지 계산해 보세요.

정답 : _____

2. 자릿값에 맞게 수를 나타내 보세요.

385 = _____

576 = _____

890 = _____

743 = _____

606 = _____

4. 규칙에 따라 수를 써넣어 보세요.

99			102	

		910	908

	497		499	

804	802	

		610		612

303	301	

5. 물건값에 해당하는 돈을 자릿값에 맞게 그려 넣고 합을 구해 보세요.

백의 자리	십의 자리	일의 자리

정답 : _____

백의 자리	십의 자리	일의 자리

정답 : _____

6. 그림이 들어간 식을 보고 그림의 값을 구해 보세요.

 = _____

 = _____

  = _____

 = _____

7. 아래 글을 읽고 학생들의 수를 알아맞혀 보세요.

- 멜로디의 수에서 십의 자리 수는 1이에요.
- 에릭과 사라의 수에서 십의 자리 수는 0이에요.
- 에이브는 줄리와 십의 자리 수가 같아요.
- 에릭의 수에서 백의 자리 수는 7이에요.
- 줄리와 사라는 백의 자리 수가 같고, 그 두 수를 더하면 6이에요.
- 멜로디와 사라의 수에서 일의 자리 수는 5예요.
- 줄리의 수에서 십의 자리 수와 에릭의 수에서 백의 자리 수는 같아요.
- 에이브의 수는 일의 자리 수가 0이고, 백의 자리 수는 6이에요.
- 에릭과 에이브의 수에 들어가는 3개의 숫자가 같아요.
- 줄리의 수에서 일의 자리 수는 4보다 3만큼 작아요.
- 멜로디의 수에서 백의 자리 수는 4예요.

멜로디

에릭

에이브

줄리

사라

누구의 수가 가장 큰가요? _____

누구의 수가 가장 작은가요? _____

8. 250부터 360까지의 수를 순서대로 이어 보세요.

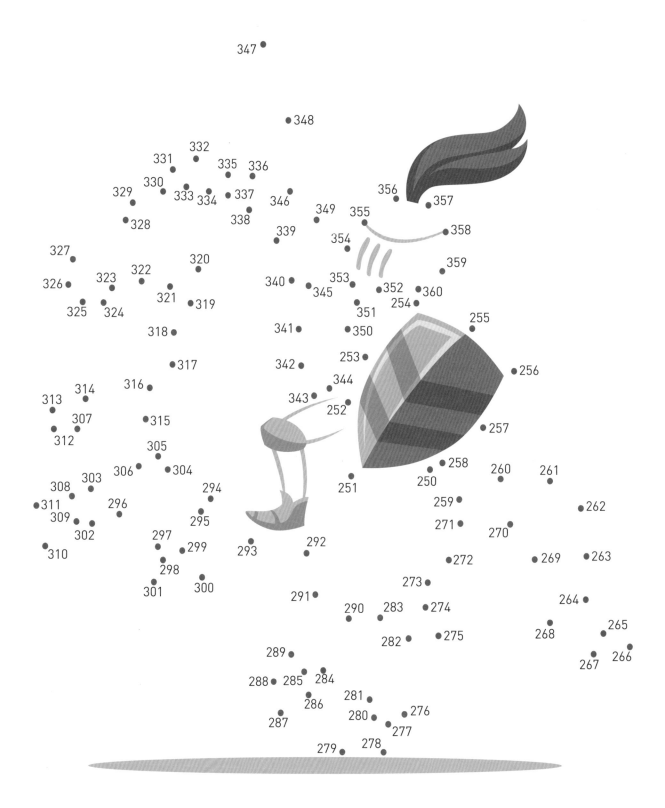

9. 친구들이 설명하는 수를 알아맞혀 보세요.

300과 400 사이에 있는 수인데 일의 자리, 십의 자리, 백의 자리 수가 모두 같아.

마틸다의 수보다 58만큼 더 큰 수야.

조셉의 수 _____

마틸다의 수 _____

세 자리 수로 150보다 작아. 각 자리 수의 세 수를 더하면 10이야.

세 자리 수인데, 각 자리 수의 세 수를 더하면 10이야. 백의 자리 수와 일의 자리 수는 같고, 일의 자리 수는 마틸다의 수와 같아.

에밀리의 수 _____

클레어의 수 _____

백의 자리 수가 4야. 각 자리 수의 세 수를 더하면 7이고, 십의 자리 수는 0이야.

가장 큰 수를 말한 사람은 누구일까?

_____

토미의 수 _____

10. 그림이 들어간 식을 보고 그림의 값을 구해 보세요.

100 × =

 = ÷ 2

 ÷ 4 =

 × 2 = 500

 × 5 =

 = _____

 = _____

 = _____

 = _____

_____ = _____

14 수의 크기 비교

백의 자리	십의 자리	일의 자리		백의 자리	십의 자리	일의 자리
2	7	4	<	3	7	4

백의 자리 수의 크기를 가장
먼저 비교해요.

백의 자리	십의 자리	일의 자리		백의 자리	십의 자리	일의 자리
6	8	0	>	6	7	0

백의 자리 수가 같을 때는 십의
자리 수의 크기를 비교해요.

백의 자리	십의 자리	일의 자리		백의 자리	십의 자리	일의 자리
5	2	3	<	5	2	4

백의 자리 수와 십의 자리
수가 같을 때는 일의 자리 수의
크기를 비교해요.

1. 수 막대를 보고 수를 쓴 후, ☐ 안에 >, =, <를 알맞게 써넣어 보세요.

238 ☐ 322

_____ ☐ _____

_____ ☐ _____

_____ ☐ _____

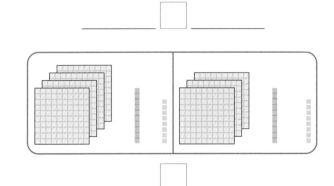

_____ ☐ _____

2. □ 안에 >, =, <를 알맞게 써넣어 보세요.

125 □ 208   267 □ 213   154 □ 152

367 □ 195   432 □ 486   894 □ 896

724 □ 974   509 □ 510   460 □ 460

459 □ 459   947 □ 939   345 □ 344

3. 수의 크기에 맞추어 작은 수부터 차례대로 써넣어 보세요.

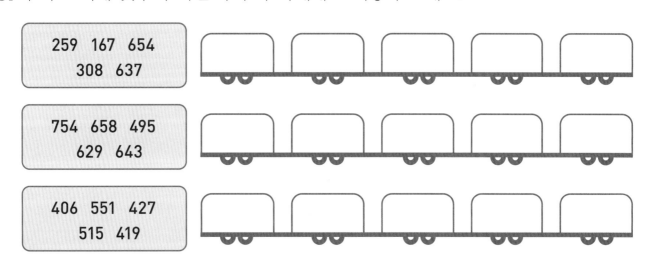

259 167 654 308 637

754 658 495 629 643

406 551 427 515 419

한 번 더 연습해요!

1. 수의 크기에 맞추어 작은 수부터 차례대로 써넣어 보세요.

753 831 748 755 762

2. □ 안에 >, =, <를 알맞게 써넣어 보세요.

348 □ 308   362 □ 352   541 □ 514

736 □ 739   153 □ 162   946 □ 946

4. 수직선을 보고 깃발 안에 알맞은 수를 써넣어 보세요.

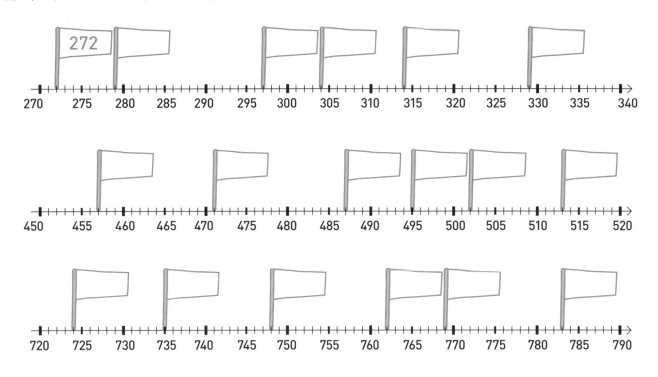

5. 더 큰 수를 따라가 보세요. 양 갈래 길 모두 큰 수가 있을 경우, 두 길 중 더 큰 수를 따라가세요.

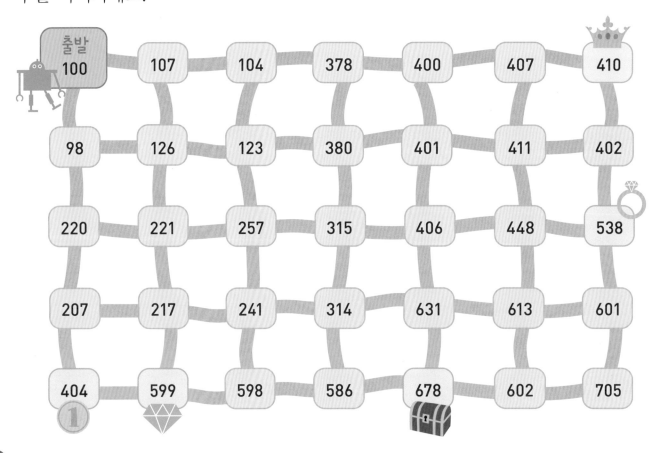

6. ❶ 친구들의 점수를 계산해 보세요.

🔵	라몬	_____
🔵	줄리	_____
🔵	윌리엄	_____
⚫	올리비아	_____

❷ 점수를 계산한 결과표를 보고, 참인지 거짓인지 표시하세요.

	참	거짓
• 줄리는 올리비아와 점수가 같아요.	☐	☐
• 윌리엄은 라몬보다 90점이 더 높아요.	☐	☐
• 윌리엄이 280점을 더 얻으면 1000점이 돼요.	☐	☐
• 윌리엄이 315점을 더 얻으면 올리비아와 점수가 같아져요.	☐	☐
• 라몬이 2개의 공을 정가운데로 던지면 650점이 돼요.	☐	☐

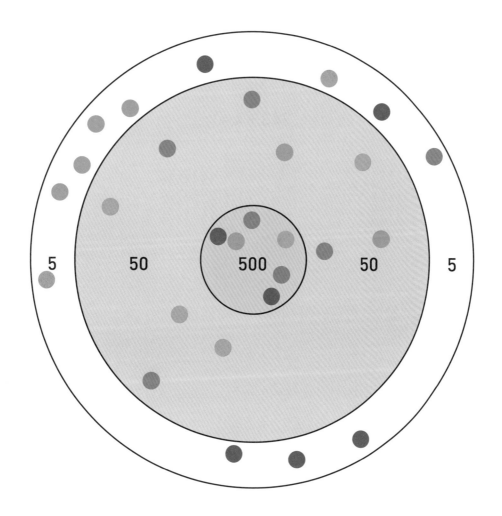

15 세 자리 수에서 일의 자리 수의 덧셈과 뺄셈

3 2 4 + 3 = 3 2 7

일의 자리 수끼리 더해요.

3 2 7 − 3 = 3 2 4

일의 자리 수끼리 빼요.

1. 수 막대를 보고 계산해 보세요.

384 + 5 = _____

243 + 4 = _____

206 + 3 = _____

292 + 4 = _____

372 + 5 = _____

243 + 5 = _____

2. 계산한 후 정답을 찾아 ○표 하세요.

492 + 3 = _____

492 + 4 = _____

492 + 5 = _____

22 + 4 = _____

122 + 4 = _____

422 + 4 = _____

3 + 124 = _____

3 + 361 = _____

3 + 232 = _____

 26   126   127   235   245   364   426   495   496   497

3. 수 막대를 보고 계산해 보세요.

367 − 4 = _____

326 − 5 = _____

365 − 5 = _____

249 − 5 = _____

219 − 3 = _____

328 − 3 = _____

4. 계산한 후 정답을 찾아 ◯표 하세요.

349 − 5 = _____

349 − 6 = _____

349 − 7 = _____

37 − 4 = _____

137 − 4 = _____

537 − 4 = _____

118 − 7 = _____

406 − 6 = _____

849 − 4 = _____

 　33　　111　　133　　342　　343　　344　　400　　533　　643　　845

한 번 더 연습해요!

1. 수 막대를 보고 계산해 보세요.

268 − 5 = _____

2. 계산해 보세요.

223 + 3 = _____

192 + 5 = _____

545 + 4 = _____

456 + 2 = _____

5. 규칙에 따라 수를 써넣어 보세요.

130	132	134					144
241	243	245					255
870	873	876					891
325	323	321					311
782	780	778					768
1000	995	990					965

6. 계산한 후 정답을 찾아 색칠해 보세요.

62 + 3 = _____   47 − 5 = _____

462 + 3 = _____   447 − 5 = _____

662 + 3 = _____   747 − 5 = _____

191 + 8 = _____   389 − 8 = _____

291 + 8 = _____   589 − 8 = _____

691 + 8 = _____   789 − 8 = _____

7. 캐릭터의 이름과 점수를 알아보고 알맞은 색을 칠해 보세요.

- 아구스는 노란색이에요.
- 바르도는 양 끝에 있지 않아요.
- 칠로는 왼쪽 끝에 있어요.
- 파란색 캐릭터의 점수는 645점이에요.
- 노란색 캐릭터는 649점이고, 바르도보다 4점 더 높아요.
- 빨간색 캐릭터는 바르도보다 11점 더 높아요.

이름 : _____

점수 : _____

이름 : _____

점수 : _____

이름 : _____

점수 : _____

놀이 수학

자루 안의 수

✏️ **놀이 방법**

1. 자루 안의 수를 살펴봐요.

2. 자루 안에 든 수 중에서 다른 수들과 어울리지 않는 수를 고른 다음 이유를 설명해 보세요.

스스로 문제를 만들어 풀어 보세요.

551   654
453   159
357   745

392
752   275
914
718   626

16 세 자리 수에서 십의 자리 수의 덧셈과 뺄셈

| 2 | 4 | 3 | + | 2 | 0 | = | 2 | 6 | 3 |

십의 자리 수끼리 더해요.

| 2 | 6 | 3 | - | 2 | 0 | = | 2 | 4 | 3 |

십의 자리 수끼리 빼요.

1. 수 막대를 보고 계산해 보세요.

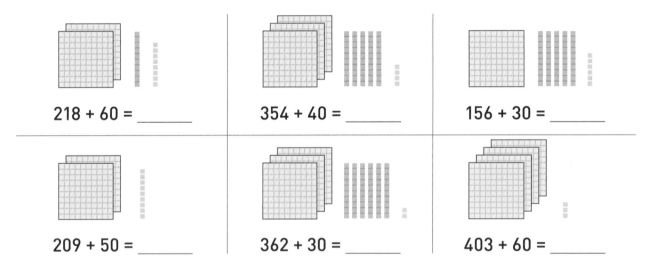

218 + 60 = _____

354 + 40 = _____

156 + 30 = _____

209 + 50 = _____

362 + 30 = _____

403 + 60 = _____

2. 계산한 후 정답을 찾아 ○표 하세요.

532 + 40 = _____   49 + 30 = _____   70 + 30 = _____

532 + 50 = _____   149 + 30 = _____   170 + 30 = _____

532 + 60 = _____   449 + 30 = _____   470 + 30 = _____

 79   100   179   200   479   497   500   572   582   592

3. 수 막대를 보고 계산해 보세요.

175 − 30 = _____

280 − 50 = _____

226 − 20 = _____

394 − 80 = _____

159 − 50 = _____

338 − 10 = _____

4. 계산한 후 정답을 찾아 ○표 하세요.

473 − 50 = _____

473 − 60 = _____

473 − 70 = _____

68 − 20 = _____

268 − 20 = _____

568 − 20 = _____

100 − 40 = _____

200 − 40 = _____

500 − 40 = _____

 48   60   160   248   403   413   423   460   548   608

 한 번 더 연습해요!

1. 수 막대를 보고 계산해 보세요.

245 − 30 = _____

2. 계산해 보세요.

140 + 50 = _____

232 + 60 = _____

426 + 40 = _____

930 + 70 = _____

5. 규칙에 따라 수를 써넣어 보세요.

150	160	170					220
420	440	460					560
650	700	750					1000
440	430	420					370
770	750	730					630
860	810	760					510

6. 계산한 후 정답을 찾아 색칠해 보세요.

20 + 42 = _____   38 − 10 = _____

320 + 42 = _____   638 − 10 = _____

64 − 20 = _____   26 + 30 = _____

564 − 20 = _____   926 + 30 = _____

58 − 50 = _____   67 − 40 = _____

658 − 50 = _____   567 − 40 = _____

24 + 40 = _____   95 − 70 = _____

924 + 40 = _____   795 − 70 = _____

 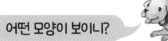 어떤 모양이 보이니?

7. 세로셈으로 계산한 후에 정답을 찾아 ○표 하세요.

	1	5	5
+	3	4	2

	2	6	4
+	5	2	3

	6	0	3
+	3	2	6

	8	7	3
−	5	4	2

	4	7	9
−	3	6	7

	8	4	9
−	6	4	5

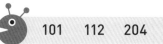

101   112   204   331   497   787   929

8. 엠마, 릴리, 할리의 가면이 어느 것인지 알아보고, 역할 이름과 비밀번호를 알아맞혀 보세요.

- 아브라카다브라의 마스크는 시리우스의 마스크 옆에 있어요.
- 릴리의 수에 20을 더하면 365가 나와요.
- 할리의 수는 554보다 120만큼 작아요.
- 트릭스의 수는 740의 반과 같아요.
- 할리의 마스크는 가운데 있지 않아요.
- 트릭스의 마스크는 깃털이 없어요.
- 릴리의 역할 이름은 아브라카다브라가 아니에요.
- 엠마의 마스크는 깃털이 없어요.

이름 : _____

역할 이름 : _____

비밀번호 : _____

이름 : _____

역할 이름 : _____

비밀번호 : _____

이름 : _____

역할 이름 : _____

비밀번호 : _____

17 세 자리 수에서 백의 자리 수의 덧셈과 뺄셈

| 2 1 3 | + | 1 0 0 | = | 3 1 3 |

백의 자리 수끼리 더해요.

| 3 1 3 | – | 1 0 0 | = | 2 1 3 |

백의 자리 수끼리 빼요.

1. 수 막대를 보고 계산해 보세요.

438 + 200 = _____

341 + 500 = _____

375 + 300 = _____

326 + 600 = _____

260 + 700 = _____

301 + 400 = _____

2. 계산한 후 정답을 찾아 ○표 하세요.

231 + 300 = _____

231 + 400 = _____

231 + 500 = _____

147 + 200 = _____

347 + 200 = _____

647 + 200 = _____

400 + 68 = _____

400 + 268 = _____

400 + 568 = _____

347   468   513   531   547   631   668   731   847   968

3. 수 막대를 보고 계산해 보세요.

252 − 100 = _____

337 − 200 = _____

124 − 100 = _____

402 − 300 = _____

521 − 300 = _____

537 − 200 = _____

4. 계산한 후 정답을 찾아 ○표 하세요.

742 − 400 = _____

742 − 500 = _____

742 − 600 = _____

678 − 600 = _____

778 − 600 = _____

978 − 600 = _____

458 − 300 = _____

403 − 100 = _____

839 − 200 = _____

 78   142   158   178   181   242   303   342   378   639

한 번 더 연습해요!

1. 식을 쓰고 정답을 구해 보세요.

엠마는 352점에서 200점을 잃었어요.
엠마에게 남은 점수는 몇 점인가요?

식 : _____

정답 : _____

2. 계산해 보세요.

835 − 300 = _____

478 + 500 = _____

200 + 547 = _____

580 − 500 = _____

5. 아래 글을 읽고 식을 쓴 후 정답을 구해 보세요.

❶ 메이는 437점에서 200점을 잃었어요. 메이에게 남은 점수는 몇 점인가요?

식 : _____

정답 : _____

❷ 실비아는 400점을 잃었어요. 실비아의 처음 점수가 682점이라면, 남은 점수는 몇 점인가요?

식 : _____

정답 : _____

6. 그림을 보고 돈이 얼마인지 쓴 후, ☐ 안에 >, =, <를 알맞게 써넣어 보세요.

_____ ☐ _____

_____ ☐ _____

_____ ☐ _____

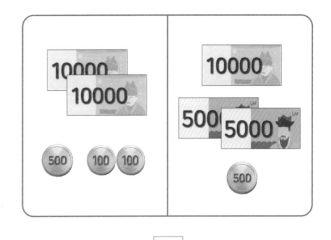

_____ ☐ _____

7. 빈칸에 알맞은 수를 구해 보세요.

	2	3	4
+	1	5	
			8

	7		2
+		4	
	9	8	3

		4	6
+	3		
	6	6	7

	5		3
−		2	1
		2	4

		7	4
−	1	2	
		5	4

	9	7	
−			7
	9	3	1

8. 처음 수를 구해 보세요.

시작	시작	시작
처음 수 _____	처음 수 _____	처음 수 _____
↓	↓	↓
20을 빼세요.	2를 곱하세요.	800을 빼세요.
↓	↓	↓
600을 더하세요.	50을 더하세요.	3으로 나누세요.
↓	↓	↓
마침 마지막 수 ___904___	마침 마지막 수 ___530___	마침 마지막 수 ___50___

1. 자릿값에 맞게 수를 나타내 보세요.

백의 자리	십의 자리	일의 자리

= _____ + _____ + _____

백의 자리	십의 자리	일의 자리

= _____ + _____ + _____

백의 자리	십의 자리	일의 자리

= _____ + _____

백의 자리	십의 자리	일의 자리

= _____ + _____

2. 규칙에 따라 수를 써넣어 보세요.

346	347	348					353

594	593	592					587

3. 자릿값에 맞게 수를 나타내 보세요.

472 = _____

615 = _____

537 = _____

764 = _____

303 = _____

180 = _____

801 = _____

990 = _____

4. 그림을 보고 돈이 얼마인지 쓴 후, □ 안에 >, =, <를 알맞게 써넣어 보세요.

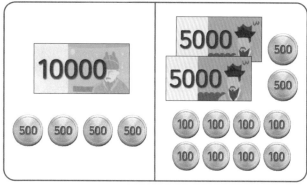

_____ □ _____   _____ □ _____

5. □ 안에 >, =, <를 알맞게 써넣어 보세요.

521 □ 802   452 □ 461   543 □ 541

763 □ 591   786 □ 750   637 □ 639

6. 계산해 보세요.

121 + 7 = _____   428 + 50 = _____   326 + 100 = _____

432 + 3 = _____   570 + 20 = _____   300 + 639 = _____

219 − 7 = _____

526 − 4 = _____

986 − 50 = _____

837 − 30 = _____

574 − 200 = _____

967 − 900 = _____

얼마나 잘했나요? ✦

실력이 자란 만큼 별을 색칠하세요.

 정말 잘했어요.

 꽤 잘했어요.

 계속 노력할게요.

단원 평가

1

계산값을 찾아 바르게 이어 보세요.

| 765 | 901 | 975 | 751 | 760 |

| 900 + 1 | 700 + 60 + 5 | 700 + 60 | 900 + 70 + 5 | 700 + 50 + 1 |

2

더 큰 수에 색칠해 보세요.

294   296   329   342

175   157   638   683

3

계산해 보세요.

4 + 345 = _____

5 + 702 = _____

50 + 218 = _____

60 + 436 = _____

300 + 127 = _____

4

규칙에 따라 수를 써넣어 보세요.

| 296 | 297 | | | | | 303 | |

5 규칙에 따라 수를 써넣어 보세요.

6 ⭐⭐⭐ 설명하는 수를 찾아 써 보세요.

- 삼각형과 원 안에 있지만, 사각형 안에는 있지 않아요.

- 삼각형과 사각형 안에 있지만, 원 안에는 있지 않아요.

- 모든 도형 안에 있어요.

- 삼각형 안에만 있고, 모든 자릿수의 합은 7과 같아요.

- 사각형 안에만 있고 홀수예요.

- 원 안에만 있고 십의 자리 수가 2예요.

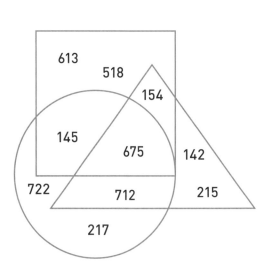

1. 식이 맞으면 ○, 틀리면 X표 하세요.

900 + 9 < 90 + 900 ☐   6 × 100 > 701 − 100 ☐

1000 − 200 = 490 + 310 ☐   5 × 20 < 25 × 4 ☐

857 − 12 > 820 + 15 ☐   10 × 9 = 30 + 30 + 30 ☐

150 + 120 > 140 + 130 ☐   412 − 9 < 380 + 5 ☐

2. 표를 보고 바르게 계산하여 빈칸을 채워 보세요.

+	1	10	100
99			
289			389
509		519	
899			

−	1	10	100
140		130	
270			
800			700
1000			

×	3	4	5
35			
105	315		
122			
210		840	

÷	3	5	10
30	10		
60			
90			9
150			

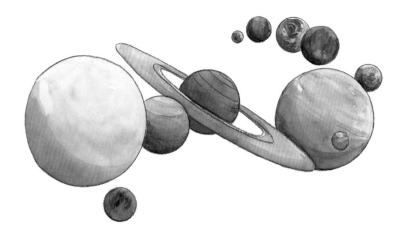

3. 아래 글을 읽고 문제를 풀어 보세요.

❶ 시에나는 우주 게임에서 156점을 얻었어요. 그리고 이 점수의 2배만큼 되자 달나라에 도착했어요. 시에나의 점수는 몇 점인가요?

정답 : _____

❷ 이삭은 우주 게임에서 135점을 얻었어요. 그리고 이 점수의 3배만큼 되자 화성에 도착했어요. 이삭의 점수는 몇 점인가요?

정답 : _____

❸ 엘사는 우주 게임에서 250점을 얻었어요. 그리고 이 점수의 4배만큼 되자 토성에 도착했어요. 엘사의 점수는 몇 점인가요?

정답 : _____

❹ 키라는 우주 게임에서 600점을 얻었어요. 그리고 유성과 부딪혀서 이 점수의 $\frac{1}{4}$만큼을 잃었어요. 키라의 남은 점수는 몇 점인가요?

정답 : _____

❺ 로라는 우주 게임에서 880점을 얻었어요. 그리고 유성과 부딪혀서 이 점수의 $\frac{1}{4}$만큼을 잃었어요. 로라의 남은 점수는 몇 점인가요?

정답 : _____

❻ 에릭은 우주 게임에서 750점을 얻었어요. 그리고 유성과 부딪혀서 이 점수의 $\frac{1}{3}$만큼을 잃었어요. 에릭의 남은 점수는 몇 점인가요?

정답 : _____

4. 아래 글을 읽고 지갑의 주인을 알아맞혀 보세요.

- 아만다가 가진 돈에 16유로를 더하면 미라가 가진 돈과 같아요.
- 킴이 제리에게 8유로를 주면 둘은 가진 돈이 같아져요.
- 미라는 킴보다 돈이 더 많아요.

126 €

142 €

148 €

164 €

_____ _____ _____ _____

무게 재기

이 놀이는 어느 것이 더 무거운지 알아볼 수 있어.

놀이 방법

1. 무게를 잴 물건 2개를 정한 후, 아래 표에 물건 이름을 써요.

2. 물건 2개 중 어느 것이 더 무거울지 어림해 보세요. 더 무겁다고 어림한 것에 ×표 해 보세요.

3. 그림처럼 비닐봉지에 물건을 넣은 후 옷걸이에 걸어 측정해요. 더 무거운 것에 ×표 해 보세요.

물건	어림한 결과	측정한 결과
테니스공		
신발		

수평 만들기 인원 : 2명
준비물 : 옷걸이, 비닐봉지 2개, 같은 크기의 블록

놀이 방법

1. 무게를 잴 물건을 정한 후, 아래 표에 물건 이름을 써요.

2. 비닐봉지에 물건을 넣은 후, 옷걸이 한쪽에 걸어요. 반대쪽 옷걸이에도 비닐봉지를 걸고 수평이 될 때까지 블록을 담아요.
   직접 측정하기 전에 어림한 결과를 미리 써 보세요. 물건의 무게는 블록 몇 개의 무게와 같나요? 어림한 결과와 같나요?

물건	어림한 결과	측정한 결과
테니스공	블록 개	블록 개

양쪽의 무게가
같으면
수평이 돼~!

 한 번 더 연습해요!

1. ☐ 안에 >, =, <를 알맞게 써넣어 보세요.

580 ☐ 200 + 340   200 + 350 ☐ 940 − 400

890 ☐ 480 + 400   100 + 590 ☐ 899 − 200

935 ☐ 360 + 600   200 + 260 ☐ 760 − 300

어느 그릇에 더 많이 담길까?

준비물 : 다양한 그릇과 컵

놀이 방법

1. 측정 실험에 쓸 그릇 2개를 정한 후 그릇 이름 아래 이름을 쓰세요. 계량컵의 이름도 쓰세요.
2. 어느 그릇에 물이 더 많이 담길지 어림한 후, 더 많이 담길 것 같은 그릇에 X표 해 보세요.
3. 계량컵에 물을 담아 어느 그릇에 물이 더 많이 담길지 측정해 보세요.

계량컵	그릇 이름	어림한 결과	측정한 결과

덧셈 뺄셈 놀이

인원 : 2명   준비물 : 0~9까지의 수 카드

이름 :

이름 :

백의 자리	십의 자리	일의 자리		일의 자리		백의 자리	십의 자리	일의 자리	
			+		=				

백의 자리	십의 자리	일의 자리		일의 자리		백의 자리	십의 자리	일의 자리	
			+		=				

백의 자리	십의 자리	일의 자리		일의 자리		백의 자리	십의 자리	일의 자리	
			+		=				

백의 자리	십의 자리	일의 자리		일의 자리		백의 자리	십의 자리	일의 자리	
			+		=				

백의 자리	십의 자리	일의 자리		일의 자리		백의 자리	십의 자리	일의 자리	
			−		=				

백의 자리	십의 자리	일의 자리		일의 자리		백의 자리	십의 자리	일의 자리	
			−		=				

백의 자리	십의 자리	일의 자리		일의 자리		백의 자리	십의 자리	일의 자리	
			−		=				

백의 자리	십의 자리	일의 자리		일의 자리		백의 자리	십의 자리	일의 자리	
			−		=				

 놀이 방법

 책 뒤에 있는 놀이 카드를 이용하세요.

1. 0~9까지의 수 카드를 책상 위에 뒤집어 펼쳐 놓아요.

2. 가위바위보로 순서를 정한 후, 번갈아 가며 수 카드를 1개씩 골라요. 나온 수를 첫째 식부터 빈칸에 자유롭게 써넣어요.
   사용한 카드는 다시 뒤집어서 섞어 놓아요.

3. 덧셈에서는 계산값이 더 큰 사람이 1점을 얻고, 뺄셈에서는 계산값이 더 적은 사람이 1점을 얻어요.

 한 번 더 연습해요!

1. 규칙에 따라 수를 써넣어 보세요.

784	786	788					798

동네 한 바퀴

인원 : 2~3명   준비물 : 시계판, 주사위, 놀이 말

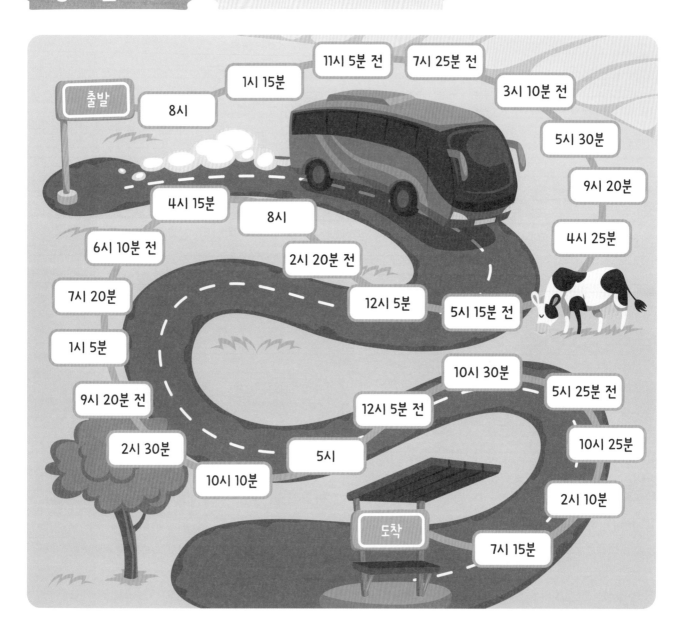

_____의 점수 :

_____의 점수 :

✏️ 놀이 방법

1. 번갈아 가며 주사위를 굴린 다음 주사위 눈의 수만큼 놀이 말을 움직여요. 예를 들어 3이 나오면 3칸 앞으로 가요.
   3칸 가면 11시 5분 전이므로 시계판의 시곗바늘을 11시 5분 전인 10시 55분을 나타내고 순서를 바꿔요.
2. 시계를 바르게 나타내지 못하면 제자리에 있어야 하며 다음 사람에게 순서가 넘어가요.
3. 먼저 도착하는 사람이 이겨요.

책 뒤에 있는 놀이 카드를 이용하세요.

110

몇 분일까?

인원 : 2명   준비물 : 124쪽 활동지, 주사위, 놀이 말 2개

🖉 놀이 방법

1. 활동지 시계에 정각 8시를 그려요.

2. 주사위를 번갈아 가며 굴린 다음 주사위 눈의 수만큼 움직여요. 2가 나오면 2칸 앞으로 가요. 주사위가 멈춘 칸이
   + 표시일 때는 시계를 시계 방향으로 움직이고, – 표시일 때는 반대 방향으로 움직이며 활동지 시계에 시곗바늘을 그려요.

3. 먼저 도착하는 사람이 이겨요.

 한 번 더 연습해요!

1. 시계가 나타내는 시각을 쓰세요.

_____ _____

2. 계산해 보세요.

20 + 15 = _____

15 + 35 = _____

45 – 15 = _____

60 – 25 = _____

얼마일까?

인원 : 2명 준비물 : 주사위, 놀이 말 2개

이름 : ☐☐☐☐☐   이름 : ☐☐☐☐☐

✏️ 놀이 방법

1. 순서를 정해 주사위를 굴려요. 나온 수만큼 놀이 말을 시계 방향으로 움직여요.

2. 놀이 말이 멈춘 집에 있는 돈을 세어 상대방과 비교해요. 상대보다 돈이 더 많으면 이름 옆의 네모 칸에 1이라고 점수를 주세요. 돈의 액수가 같으면 두 사람 모두 1점을 얻어요.

3. 먼저 5점을 얻는 사람이 이겨요.

숨은 수를 찾아라!

인원 : 2명   준비물 : 놀이 말 1개

		516	517								
540		542	543	544							
565	566	567	568	569	570			573			
	592		594	595	596	597					
	616	617	618	619	620		622				
	641	642	643		645	646	647				
	667				670		672				
			693	694	695	696	697	698	699		
			718		720	721	722	723	724		
		742	743	744		746		748	749		751
		767	768		770	771	772	773			
	790	791	792	793		795		797	798		
814	815	816	817	818	819	820	821	822	823		
	841	842	843	844		846		848	849		
		867		869	870	871	872	873			
		892	893	894			897	898	899		
			918		920	921	922		924		
				945	946	947	948	949			
							972	973			
								998			

 놀이 방법

1. 순서를 정해 교대로 말을 움직이며 수를 가려요.
2. 상대방은 말 아래 숨겨진 수를 알아내어 말해요.
3. 역할을 바꿔 가며 놀이를 계속해요.

한 번 더 연습해요!

1. 계산해 보세요.

25 + 9 + 25 = _____	65 - 20 - 8 = _____	8 × 5 - 6 = _____
47 + 5 + 13 = _____	92 - 60 - 7 = _____	4 × 6 - 7 = _____
12 + 9 + 58 = _____	84 - 30 - 6 = _____	3 × 7 - 9 = _____
63 + 2 + 17 = _____	78 - 50 - 9 = _____	9 × 3 - 8 = _____

주사위 탐구1

주사위를 굴려서 나온 수를 보고 그래프에 색칠해 보세요. 한 주사위의 눈이 10회
나오면 멈추세요.

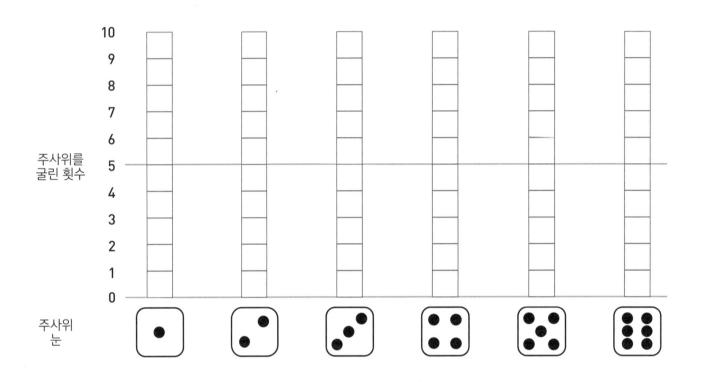

① 가장 많이 나온 주사위 눈은 무엇인가요?

_____

② 가장 적게 나온 주사위 눈은 무엇인가요?

_____

③ 같은 횟수만큼 나온 주사위 눈이 있나요?

_____

주사위 탐구2

주사위 2개를 굴려서 나온 눈의 수를 합한 값을 그래프에 색칠해 보세요.
주사위 두 눈의 합이 같은 값이 10회 나오면 멈추세요.

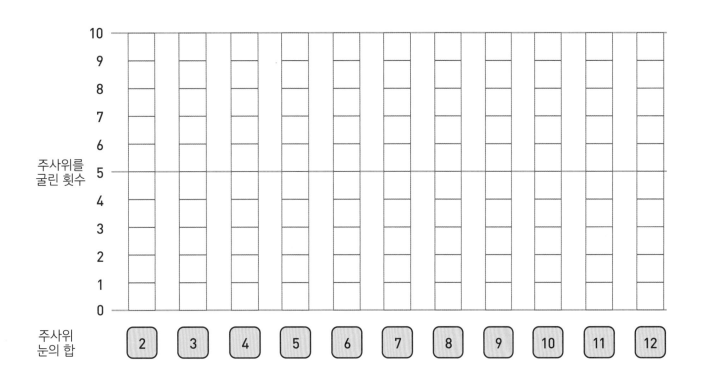

1. ❶ 가장 많이 나온 주사위 눈의 합은 무엇인가요?

   _____

   ❷ 어떤 수를 더해 이런 합이 나왔나요?

   _____

2. ❶ 가장 적게 나온 주사위의 눈의 합은 무엇인가요?

   _____

   ❷ 어떤 수를 더해 이런 합이 나왔나요?

   _____

지도 탐구

1. 지도를 조사해 보세요.
알렉이 호텔을 떠나 어디로 가는지 살펴본 후 빈칸을 채우세요.

호텔	→ 400 m	도서관	→ 100 m	
호텔	→ 450 m		→ 500 m	
호텔	→ 600 m		→ 400 m	
호텔	→ 650 m		→ 150 m	
호텔	→ 750 m		→ 450 m	
호텔	→ 1000 m		→ 400 m	
호텔	→ 950 m		→ 700 m	

나만의 지도 만들기

1. 나만의 지도를 그려 보세요.

50m

2. 장소와 거리를 표시해서 표를 완성해 보세요.

m

로마 숫자로
7은 이렇게 써요.

아라비아 숫자로
7은 이렇게 써요.

7   VII

1. 빈칸에 알맞은 로마 숫자를 써넣으세요.

1	2	3	4	5
I	II	III	IV	V
6	7	8	9	10
VI	VII	_____	IX	X
11	12	13	14	15
_____	XII	XIII	_____	XV
16	17	18	19	20
XVI	_____	XVIII	_____	XX
51	52	53	54	55
LI	LII	_____	_____	LV
56	57	58	59	60
_____	_____	LVIII	LIX	_____
100	101	110	200	220
_____	_____	_____	_____	_____
510	550	600	701	800
_____	_____	_____	_____	_____

I = 1
V = 5
X = 10

L = 50
C = 100
D = 500
M = 1000

2. 로마 숫자로 써 보세요.

2017 _____

내가 태어난 해 _____

나만의 숫자 만들기

1. 나만의 숫자 표기를 만들어 보세요.

0	1	2	3	4

5	6	7	8	9

2. 나만의 숫자 표기를 이용해서 주어진 수를 써 보세요.

14	53	60	109	278	1000

 스스로 문제를 만들어 풀어 보세요.

받아 내림이 있는 세로셈

십의 자리	일의 자리		십의 자리	일의 자리
7	2	−	4	3

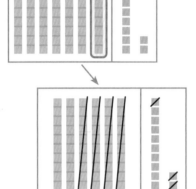

	6	10
	7̸	2
−	4	3
	2	9

❶ 우선, 일의 자리끼리 빼요. 빼지는 수가 빼는 수보다 작으면 십의 자리에서 10을 빌려 와요.(10+2=12)

❷ 십의 자리 수에서 10을 빌려 주면 처음 수를 지우고 1 작은 수를 써요.

❸ 십의 자리 수끼리 빼요.

1. 받아 내림이 있는 세로셈을 계산해 보세요.

	5	10
	6̸	3
−	2	8

	8	5
−	4	9

	9	4
−	4	7

	6	6
−	3	9

	8	4
−	1	5

	5	5
−	3	7

	7	3
−	2	7

	9	6
−	1	8

받아 내림이 있는 세로셈 문제 만들기

꼭 잊지 말아야 할 것은 빼지는 수의
일의 자리 수는 빼는 수보다 작은 수로 만드는 거예요.
(예 : 75 - 48)

← 빼지는 수
← 빼는 수

정보화 시대, IT 교육은 선택이 아닌 필수!

인터넷, 개인정보 보호, 사이버 폭력 예방, 코딩까지
아이들에게 꼭 필요한 정보화 시대 필수 도서 3종 세트!

카린 뉘고츠

개인 정보 보호와
사이버 폭력 예방은
필수!

코딩에 앞서
디지털 세상에 대한
이해가 우선!

놀이를 통해
자연스럽게 익히는
코딩!

카린 뉘고츠 코딩을 스웨덴 의무교육에 포함시킨 장본인이자, 스웨덴 최초 어린이 코딩 교육 TV프로그램
「Programmera mera」 기획 및 진행. 현재 스웨덴 교육부를 도와 어린이 IT 교육을 위해 다방면에서 활약하고 있다.

스웨덴 아이들이 매일 아침 하는 놀이 코딩

초등 놀이 코딩

카린 뉘고츠 글 | 노준구 그림 | 배장열 옮김 | 116쪽

스웨덴 어린이 코딩 교육의 선구자 카린 뉘고츠가 제안하는
언플러그드 놀이 코딩

★ 책과노는아이들 추천도서

- -

꼼짝 마! 사이버 폭력

떼오 베네데띠, 다비데 모로지노또 지음 | 장 끌라우디오 빈치 그림 | 정재성 옮김 | 96쪽

사이버 폭력의 유형별 방어법이 총망라된
사이버 폭력 예방서

★ (재)푸른나무 청예단 추천도서
★ 한국학교도서관 이달에 꼭 만나볼 책
★ 아침독서추천도서
★ 꿈꾸는도서관 추천도서

코딩에서 4차산업혁명까지 세상을 움직이는 인터넷의 모든 것!

인터넷, 알고는 사용하니?

카린 뉘고츠 글 | 유한나 크리스티안손 그림 | 이유진 옮김 | 64쪽

뭐든 물어 봐, 인터넷에 대한 모든 것!
디지털 세상에 대한 이해를 돕는 필수 입문서!

★ 고래가숨쉬는도서관 겨울방학 추천도서
★ 꿈꾸는도서관 추천도서
★ 책과노는아이들 추천도서

핀란드에서 가장 많이 보는 1등 수학 교과서!
핀란드 초등학교 수학 교육 최고 전문가들이 만든
혼공 시대에 꼭 필요한 자기주도 수학 교과서를 만나요!

핀란드 수학 교과서, 왜 특별할까?

 수학적 구조를 발견하고 이해하게 하여 수학 공식을 암기할 필요 없어요.

 수학적 이야기가 풍부한 그림으로 수학 학습에 영감을 불어넣어요.

 교구를 활용한 놀이 수학을 통해 수학 개념을 이해시켜요.

 수학과 연계하여 컴퓨팅 사고와 문제 해결력을 키워 줘요.

 연산, 서술형, 응용과 심화, 사고력 문제가 한 권에 모두 들어 있어요.

어떤 문제를 푸느냐에
따라 수학 사고력은
달라집니다!

개별가 없음(세트로만 판매)

64410

9 791189 010584

ISBN 979-11-89010-58-4
979-11-89010-56-0 (세트)

무형광 종이 인쇄로 아이들 눈을 지켜 줘요.

핀란드 2학년 수학 교과서 2-2

정답과 해설

1권

핀란드 수학 세계로
여행을 떠나 볼까요?

12-13쪽

1 3단

_____월 _____일 _____요일

1. 계산해 보세요.

$3 \times 0 = 0$
$3 \times 1 = 3$
$3 \times 2 = 6$
$3 \times 3 = 9$
$3 \times 4 = 12$
$3 \times 5 = 15$
$3 \times 6 = 18$
$3 \times 7 = 21$
$3 \times 8 = 24$
$3 \times 9 = 27$
$3 \times 10 = 30$

2. 그림을 보고 곱셈식으로 나타내어 답을 구해 보세요.

$3 \times 2 = 6$

$3 \times 5 = 15$

$3 \times 7 = 21$

$3 \times 9 = 27$

3. 그림으로 그린 후, 곱셈식을 쓰고 답을 구해 보세요.

3의 4배

$3 \times 4 = 12$

3의 6배

$3 \times 6 = 18$

4. 다람쥐는 3칸씩 뛰뛰기를 해요. 수직선을 따라 뛰뛰기를 하며 깃발에 3단을 써 보세요.

| 0 | 3 | 6 | 9 | 12 | 15 | 18 | 21 | 24 | 27 | 30 |

5. 계산해 보세요.

$3 \times 2 = 6$ $3 \times 3 = 9$ $3 \times 5 = 15$
$3 \times 4 = 12$ $7 \times 3 = 21$ $3 \times 4 = 12$
$3 \times 1 = 3$ $9 \times 3 = 27$ $3 \times 10 = 30$

한 번 더 연습해요!

1. 계산해 보세요.

$3 \times 6 = 18$ $2 \times 3 = 6$
$3 \times 3 = 9$ $5 \times 3 = 15$
$3 \times 9 = 27$ $7 \times 3 = 21$
$3 \times 10 = 30$ $8 \times 3 = 24$

2. 3단을 따라 점을 이어 보세요.

부모님 가이드 | 12쪽

그림을 보며 아이에게 질문해 보세요.

- 눈사람을 만들려면 눈덩이가 몇 개 필요하니? **3개**
- 눈사람을 2개 만들려면 눈덩이가 몇 개 필요하니? **6개**
- 이걸 곱셈식으로 만들어 보렴. **3×2**
- 눈사람을 3개 만들려면 눈덩이가 몇 개 필요하니? **9개**
- 이걸 곱셈식으로 만들어 보렴. **3×3**
- 그림에 눈사람이 몇 개 있니? **4개**
- 필요한 눈덩이가 몇 개인지 곱셈식을 만들어서 구해 보렴. **3×4=12**

14-15쪽

실력을 키워요!

6. 규칙에 따라 수를 써넣어 보세요.

0	2	4	6	8	10	12	14	16	18	20
0	3	6	9	12	15	18	21	24	27	30
0	5	10	15	20	25	30	35	40	45	50
20	18	16	14	12	10	8	6	4	2	0
30	27	24	21	18	15	12	9	6	3	0
100	90	80	70	60	50	40	30	20	10	0

7. 계산값이 같은 것끼리 같은 색으로 색칠해 보세요.

3+3+3+3+3
58-31
3×9
14+7
58-40
3×7
30-3-3-3
3×6
3+3+3+3+3+3+3+3
43-22
9+9
30-3-3-3-3
10+17
30-3

실력을 키워요!

8. □ 안에 >, =, <를 알맞게 써넣어 보세요.

$3 \times 3 < 10$ $3 \times 2 = 4 + 2$ $3 \times 4 > 13 - 2$
$3 \times 5 = 15$ $3 \times 9 = 8 + 19$ $3 \times 8 = 32 - 8$
$3 \times 8 > 21$ $3 \times 6 > 8 + 9$ $3 \times 0 < 8 - 7$

9. 그림이 들어간 식을 보고 그림의 값을 구해 보세요.

곰 × 곰 + 눈사람 = 28

곰 × 2 = 14

눈사람 × 눈사람 + 곰 = 30

눈사람 × 눈사람 - 곰 = 16

곰 = 3 ❶
눈사람 = 7 ❷
= 9 ❸
= 8 ❹

10. 아래 글을 읽고 주사위 눈을 그려 넣어 보세요.

- 두 주사위 눈의 합은 9예요.
- 두 주사위 눈의 곱은 18이에요.
- 첫 번째 주사위 눈은 두 번째 주사위 눈의 수보다 작아요.

- 두 주사위 눈의 곱은 12예요.
- 두 주사위 눈의 차는 1이에요.
- 첫 번째 주사위 눈은 두 번째 주사위 눈의 수보다 커요.

15쪽 9번

❷ ×2=14, =7

❶ + =28, ×7+7=28, ×7=21, =3

❸ × + =30, 3× +3=30, 3× =27, =9

❹ × - =16, ×3- =16, 16을 2로 나누면 8, =8

11. 계산해 보세요. 그림을 보고 풀어도 돼요.

$3 \times 3 = 9$ $3 \times 7 = 21$ $3 \times 4 = 12$
$3 \times 6 = 18$ $3 \times 9 = 27$ $3 \times 8 = 24$

12. 계산해 보세요.

$3 \times 2 + 3 = 9$ $3 \times 5 + 3 = 18$ $3 \times 5 + 6 = 21$
$3 \times 3 = 9$ $3 \times 6 = 18$ $3 \times 7 = 21$
$3 \times 5 - 3 = 12$ $3 \times 10 - 3 = 27$ $3 \times 10 - 6 = 24$
$3 \times 4 = 12$ $3 \times 9 = 27$ $3 \times 8 = 24$

13. 계산해 보세요.

$3 \times 6 = 18$ $3 \times 7 = 21$ $3 \times 9 = 27$
$6 \times 3 = 18$ $7 \times 3 = 21$ $9 \times 3 = 27$

14. 그림으로 그린 후, 곱셈식을 쓰고 답을 구해 보세요.

① 축구 선수를 5그룹으로 나누었어요. 한 그룹에 3명씩 있다면 축구 선수는 모두 몇 명인가요?
식 : $3 \times 5 = 15$
정답 : 15명

② 야구 선수를 3그룹으로 나누었어요. 한 그룹에 8명씩 있다면 야구 선수는 모두 몇 명인가요?
식 : $8 \times 3 = 24$
정답 : 24명

③ 학생 7명이 눈사람을 3개씩 만들었어요. 학생들이 만든 눈사람은 모두 몇 개인가요?
식 : $3 \times 7 = 21$
정답 : 21개

④ 학생 3명이 팽이를 9개씩 만들었어요. 학생들이 만든 팽이는 모두 몇 개인가요?
식 : $9 \times 3 = 27$
정답 : 27개

한 번 더 연습해요!

1. 학생들을 6그룹으로 나누었어요. 한 그룹에 3명씩 있다면 학생들은 모두 몇 명인가요?
식 : $3 \times 6 = 18$
정답 : 18명

2. 계산해 보세요.
$3 \times 2 + 3 = 9$
$3 \times 3 = 9$
$3 \times 9 - 3 = 24$
$3 \times 8 = 24$

MEMO

15쪽 10번

– 두 주사위 눈의 합은 9예요. – 두 주사위 눈의 곱은 18이에요. – 첫 번째 주사위 눈은 두 번째 주사위 눈의 수보다 작아요.	두 주사위 눈의 곱은 18이므로, 3과 6임. 첫 번째 주사위 눈의 수가 작아야 하므로, 첫 번째 주사위 눈은 3, 두 번째 주사위 눈은 6임.
– 두 주사위 눈의 곱은 12예요. – 두 주사위 눈의 차는 1이에요. – 첫 번째 주사위 눈은 두 번째 주사위 눈의 수보다 커요.	곱이 12인 주사위 눈은 2, 6과 3, 4임. 이 가운데 눈의 차가 1인 것은 3과 4임, 첫 번째 주사위 눈의 수가 더 커야 하므로 첫 번째 주사위 눈은 4, 두 번째 주사위 눈은 3임.

18-19쪽

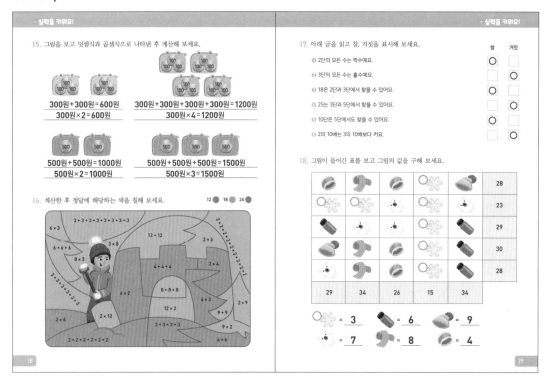

15. 그림을 보고 덧셈식과 곱셈식으로 나타낸 후 계산해 보세요.

300원+300원=600원
300원×2=600원

300원+300원+300원+300원=1200원
300원×4=1200원

500원+500원=1000원
500원×2=1000원

500원+500원+500원=1500원
500원×3=1500원

16. 계산한 후 정답에 해당하는 색을 칠해 보세요.   12 ● 18 ● 24 ●

17. 아래 글을 읽고 참, 거짓을 표시해 보세요.

	참	거짓
❶ 2단의 모든 수는 짝수예요.	○	
❷ 3단의 모든 수는 홀수예요.		○
❸ 18은 2단과 3단에서 찾을 수 있어요.	○	
❹ 25는 3단과 5단에서 찾을 수 있어요.		○
❺ 10단은 5단에서도 찾을 수 있어요.	○	
❻ 2의 10배는 3의 10배보다 커요.		○

18. 그림이 들어간 표를 보고 그림의 값을 구해 보세요.

					28
					23
					29
					30
					28
29	34	26	15	34	

○❋ = __3__   ▮ = __6__   ◖ = __9__

· = __7__   ◓ = __8__   ◗ = __4__

19쪽 17번

❷ 3단의 모든 수는 홀수예요.
→ 홀수에 짝수를 곱하면 짝수가 되므로 거짓

❸ 18은 2단과 3단에서 찾을 수 있어요. → 2×9=18, 3×6=18이므로 참

❹ 25는 3단과 5단에서 찾을 수 있어요. → 3단에는 25가 없으므로 거짓

❻ 2의 10배는 3의 10배보다 커요. → 2의 10배=20, 3의 10배=30이므로 거짓

MEMO

19쪽 18번

가장 단순한 식부터 골라 문제를 순서대로 해결하면 좋아요.

1. 세로 넷째 줄, ○❋ ×5=15이므로 ○❋ =3

2. 가로 둘째 줄, ○❋ =3을 넣으면 3+3+ · +3+ · =23
   · + · =23-9, 2× · =14, · =7

3. 가로 셋째 줄, ○❋ =3, · =7을 넣으면, ▮ +7+7+3+ ▮ =29, ▮ + ▮ =29-17, 2× ▮ =12, ▮ =6

4. 세로 마지막 줄, ▮ =6, · =7을 넣으면, ◖ +7+6+6+6=34, ◖ =34-25, ◖ =9

5. 세로 셋째 줄, · =7을 넣으면 ◗ +7+7+ ◗ + ◗ =26, 3× ◗ =26-14, 3× ◗ =12, ◗ =4

6. 가로 첫째 줄, ◗ =4, ○❋ =3, ◖ =9를 넣으면, 4+ ◓ +4+3+9=28, ◓ =28-20, ◓ =8

20-21쪽

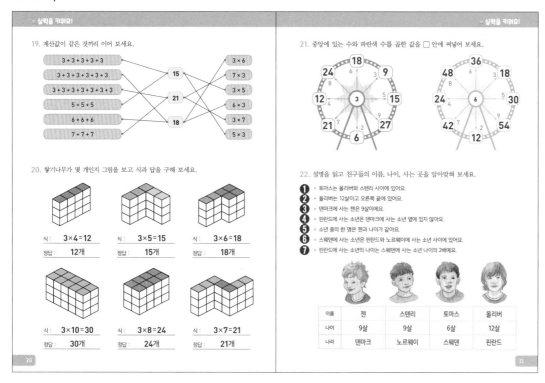

19. 계산값이 같은 것끼리 이어 보세요.

3 + 3 + 3 + 3 + 3		3 × 6
3 + 3 + 3 + 3 + 3 + 3	15	7 × 3
3 + 3 + 3 + 3 + 3 + 3 + 3	21	3 × 5
5 + 5 + 5	18	6 × 3
6 + 6 + 6		3 × 7
7 + 7 + 7		5 × 3

20. 쌓기나무가 몇 개인지 그림을 보고 식과 답을 구해 보세요.

식 : 3×4=12
정답 : 12개

식 : 3×5=15
정답 : 15개

식 : 3×6=18
정답 : 18개

식 : 3×10=30
정답 : 30개

식 : 3×8=24
정답 : 24개

식 : 3×7=21
정답 : 21개

21. 중앙에 있는 수와 파란색 수를 곱한 값을 ☐ 안에 써넣어 보세요.

18 24 9 12 3 15 21 6 27

36 48 18 24 6 30 42 54 12

22. 설명을 읽고 친구들의 이름, 나이, 사는 곳을 알아맞혀 보세요.

❶ • 토마스는 올리버와 스텐리 사이에 있어요.
❷ • 올리버는 12살이고 오른쪽 끝에 있어요.
❸ • 덴마크에 사는 젠은 9살이에요.
❹ • 핀란드에 사는 소년은 덴마크에 사는 소년 옆에 있지 않아요.
❺ • 소년 중의 한 명은 젠과 나이가 같아요.
❻ • 스웨덴에 사는 소년은 핀란드와 노르웨이에 사는 소년 사이에 있어요.
❼ • 핀란드에 사는 소년의 나이는 스웨덴에 사는 소년 나이의 2배예요.

이름	젠	스텐리	토마스	올리버
나이	9살	9살	6살	12살
나라	덴마크	노르웨이	스웨덴	핀란드

20

21

MEMO

21쪽 22번

❷ 올리버는 12살이고 오른쪽 끝에 있어요.

이름				올리버
나이				12살
나라				

❶ 토마스는 올리버와 스텐리 사이에 있어요.

이름		스텐리	토마스	올리버
나이				12살
나라				

❸ 덴마크에 사는 젠은 9살이에요.→남은 칸이 하나이므로, 나머지 칸은 젠임.

이름	젠	스텐리	토마스	올리버
나이	9살			12살
나라	덴마크			

❹ 핀란드에 사는 소년은 덴마크에 사는 소년의 옆에 있지 않아요.→토마스와 올리버 둘 중 한 명이 핀란드임.

❻ 스웨덴에 사는 소년은 핀란드와 노르웨이에 사는 소년 사이에 있어요.→그러므로 올리버는 핀란드이며, 토마스는 스웨덴, 스텐리는 노르웨이임.

이름	젠	스텐리	토마스	올리버
나이	9살			12살
나라	덴마크	노르웨이	스웨덴	핀란드

❼ 핀란드에 사는 소년의 나이는 스웨덴에 사는 소년 나이의 2배예요.

이름	젠	스텐리	토마스	올리버
나이	9살		6살	12살
나라	덴마크	노르웨이	스웨덴	핀란드

❽ 소년 중의 한 명은 젠과 나이가 같아요.

이름	젠	스텐리	토마스	올리버
나이	9살	9살	6살	12살
나라	덴마크	노르웨이	스웨덴	핀란드

22-23쪽

2 **4단**

___월 ___일 ___요일

1. 계산해 보세요.

$4 \times 0 = 0$
$4 \times 1 = 4$
$4 \times 2 = 8$
$4 \times 3 = 12$
$4 \times 4 = 16$
$4 \times 5 = 20$
$4 \times 6 = 24$
$4 \times 7 = 28$
$4 \times 8 = 32$
$4 \times 9 = 36$
$4 \times 10 = 40$

2. 그림을 보고 곱셈식으로 나타내어 답을 구해 보세요.

$4 \times 2 = 8$

$4 \times 4 = 16$

$4 \times 5 = 20$

$4 \times 7 = 28$

3. 그림으로 그린 후, 곱셈식을 쓰고 답을 구해 보세요.

4의 3배

$4 \times 3 = 12$

4의 6배

$4 \times 6 = 24$

4. 다람쥐는 4칸씩 뜀뛰기를 해요. 수직선을 따라 뜀뛰기를 하며 깃발에 4단을 써 보세요.

| 0 | 4 | 8 | 12 | 16 | 20 | 24 | 28 | 32 | 36 | 40 |

5. 계산해 보세요.

$4 \times 0 = 0$ $4 \times 4 = 16$ $4 \times 3 = 12$
$4 \times 1 = 4$ $4 \times 9 = 36$ $4 \times 10 = 40$
$4 \times 2 = 8$ $4 \times 7 = 28$ $4 \times 6 = 24$

한 번 더 연습해요!

1. 계산해 보세요.

$4 \times 3 = 12$ $2 \times 4 = 8$
$4 \times 7 = 28$ $5 \times 4 = 20$
$4 \times 9 = 36$ $6 \times 4 = 24$
$4 \times 10 = 40$ $8 \times 4 = 32$

2. 4단을 따라 점을 이어 보세요.

24-25쪽

실력을 키워요!

6. 계산값이 같은 것끼리 이어 보세요.

4+4+4+4+4
4+4+4+4+4+4
4+4+4+4+4+4+4
5+5+5+5
6+6+6+6
7+7+7+7

28
24
20

7×4
4×6
5×4
6×4
4×5
4×7

7. 계산한 후 정답에 해당하는 색을 칠해 보세요.

20   24   28

실력을 키워요!

8. 빈칸에 알맞은 수를 구해 보세요.

$3 \times 4 = 2 \times 6$ $8 \times 2 = 4 \times 4$ $4 \times 2 = 2 \times 2 \times 2$
$3 \times 8 = 4 \times 6$ $5 \times 4 = 4 \times 5$ $4 \times 8 = 2 \times 2 \times 8$

9. 학생들이 생각하는 수를 맞혀 보세요.

2단과 4단에서 찾을 수 있어. 그 숫자는 원 안에 없어.

오로라의 수   12

4단에서 찾을 수 있어. 두 숫자의 자리 수를 각각 더하면 5가 돼.

조세핀의 수   32

3단에서 찾을 수 있어. 삼각형에는 있고 원에는 없어.

로라의 수   21

3단에서 찾을 수 있어. 사각형 안에 없어.

마커스의 수   24

같은 수를 곱한 값과 같아. 삼각형 안에 없어.

베니의 수   16

2단과 3단에서 찾을 수 있어. 원, 삼각형, 사각형 안에 모두 있어.

윌리엄의 수   18

26-27쪽

10. 계산해 보세요. 그림을 보고 풀어도 돼요.
4 × 3 = **12**   4 × 7 = **28**   4 × 4 = **16**
4 × 6 = **24**   4 × 9 = **36**   4 × 8 = **32**

11. 계산해 보세요.
4 × 2 + 4 = **12**   4 × 5 + 4 = **24**   4 × 5 + 8 = **28**
4 × 3 = **12**   4 × 6 = **24**   4 × 7 = **28**
4 × 5 − 4 = **16**   4 × 10 − 4 = **36**   4 × 10 − 8 = **32**
4 × 4 = **16**   4 × 9 = **36**   4 × 8 = **32**

12. 계산해 보세요.
4 × 6 = **24**   4 × 7 = **28**   4 × 9 = **36**
6 × 4 = **24**   7 × 4 = **28**   9 × 4 = **36**

13. 그림으로 그린 후, 곱셈식을 쓰고 답을 구해 보세요.

① 가게 안에 상자가 3개 있어요. 상자 1개당 공이 4개씩 들어 있어요. 상자에 있는 공은 모두 몇 개인가요?
식: **4 × 3 = 12**   정답: **12개**

② 체육관 안에 바구니가 5개 있어요. 바구니 1개당 글러브가 4개씩 들어 있어요. 바구니에 있는 글러브는 모두 몇 개인가요?
식: **4 × 5 = 20**   정답: **20개**

③ 운동장에 7팀이 있어요. 각 팀마다 선수가 4명씩 있어요. 운동장에 있는 선수는 모두 몇 명인가요?
식: **4 × 7 = 28**   정답: **28명**

④ 가게에 상자가 4개 있어요. 상자 1개당 호박이 4개씩 들어 있어요. 상자에 있는 호박은 모두 몇 개인가요?
식: **4 × 4 = 16**   정답: **16명**

한 번 더 연습해요!

1. 학생 6명이 공을 4개씩 가지고 있어요. 학생들이 가진 공은 모두 몇 개인가요?
식: **4 × 6 = 24**   정답: **24개**

2. 계산해 보세요.
4 × 6 + 4 = **28**
4 × 7 = **28**
4 × 9 − 4 = **32**
4 × 8 = **32**

MEMO — 25쪽 9번

오로라 : 2단과 4단에서 찾을 수 있어. 원 안에 없어. 원 안에 없는 수는 21, 25, 12, 10. 이 중 2단과 4단에서 찾을 수 있는 수는 **12**(2×6=12, 4×3=12)

조세핀 : 4단에서 찾을 수 있어. 그 숫자의 자리 수를 각각 더하면 5가 돼. 4×8=32, 3+2=5이므로 조세핀의 수는 **32**

로라 : 3단에서 찾을 수 있어. 삼각형 안에는 있고 원에는 없어. 삼각형 안에는 있고 원에는 없는 수는 21과 25임. 이 중 3단에 있는 수는 **21**(3×7=21)

마커스 : 3단에서 찾을 수 있어. 사각형 안에 없어. 사각형 안에 없는 수는 16, 32, 24임. 이 중 3단에 있는 수는 **24**(3×8=24)

베니 : 같은 수를 곱한 값과 같아. 삼각형 안에 없어. 삼각형 안에 없는 수는 16, 32, 12, 10. 이 중 같은 수를 곱한 값은 **16**(4×4=16)

윌리엄 : 2단과 3단에서 찾을 수 있어. 원, 삼각형, 사각형 안에 모두 있어. 원, 삼각형, 사각형 안에 모두 있는 수는 14와 18. 이 중 2단과 3단에서 찾을 수 있는 수는 **18**(2×9=18, 3×6=18)

정답

28-29쪽

14. 그림을 보고 곱셈식을 2가지 방법으로 나타낸 후 계산해 보세요.

$4 × 3 = 12$
$3 × 4 = 12$

$7 × 3 = 21$
$3 × 7 = 21$

$6 × 4 = 24$
$4 × 6 = 24$

15. 아래 지시에 따라 토끼를 움직여 보세요. 지나간 길은 □ 안에 X표 해 보세요.

명령어
1 = 1칸 앞으로
2 = 2칸 앞으로
3 = 오른쪽으로 방향을 바꿔요.
4 = 왼쪽으로 방향을 바꿔요.

토끼가 찾은 것은　썰매

16. 빈칸에 알맞은 수를 구해 보세요.

$3 × 4 = \underline{2} × 6$　　$6 × 4 + \underline{4} = 7 × 4$　　$7 × 4 - \underline{8} = 5 × 4$
$6 × 4 = \underline{3} × 8$　　$8 × 3 + \underline{8} = 4 × 8$　　$9 × 4 - \underline{4} = 8 × 4$
$9 × 2 = \underline{6} × 3$　　$9 × 4 + \underline{9} = 3 × 15$　　$4 × 9 - \underline{12} = 3 × 8$

17. 아래 글을 읽고 주사위 눈을 바르게 그려 넣어 보세요.

❶ 세 주사위 눈을 합하면 13이에요.
❷ 가운데 주사위 눈의 수가 가장 커요.
❸ 양 끝 두 주사위 눈을 곱하면 16이에요.
❹ 가운데 주사위 눈의 수는 첫 번째 주사위 눈의 수와 같아요.
❺ 두 주사위 눈을 곱하면 24가 나와요.
❻ 마지막 주사위 눈의 수가 가장 작아요.

놀이 수학

곱셈 놀이

인원 : 2명　준비물 : 주사위 2개, 2가지 색 색연필

놀이 방법
1. 순서를 정해 번갈아 가며 주사위 2개를 굴려요.
2. 두 주사위 눈의 수를 곱한 후, 그 값을 곱셈표에서 찾아 색칠하고 순서를 바꿔요.
3. 곱셈값을 못 찾거나, 이미 색칠되어 있어도 순서를 바꿔요.
4. 놀이를 10회까지 한 후 더 많은 칸을 색칠한 사람이 이겨요.

★ 111쪽 활동지로 한 번 더 놀이해요!

1	2	3	4	5	6
2	4	6	8	10	12
3	6	9	12	15	18
4	8	12	16	20	24
5	10	15	20	25	30
6	12	18	24	30	36

28　　29

29쪽 17번

❸ 양 끝 두 주사위 눈의 곱은 16이므로, 양 끝의 주사위는 4임.(4×4=16)

❶ 세 주사위 눈의 합은 13이므로, 4+4+□=13, □=5

❷ 가운데 주사위 눈의 수가 가장 크므로, 주사위 눈의 순서는 4, 5, 4임.

❺ 두 주사위 눈의 곱은 24이므로, 1에서 6까지의 수 중 24가 나오는 경우는 4×6=24

❹ 가운데 주사위 눈의 수는 첫 번째 주사위 눈의 수와 같고, ❻ 마지막 주사위 눈의 수가 가장 작으므로, 첫 번째와 두 번째 주사위는 6, 마지막 주사위는 4가 됨.

30-31쪽

18. 그림을 보고 덧셈식과 곱셈식으로 나타낸 후 계산해 보세요.

$200원+200원=400원$
$200원×2=400원$

$200원+200원+200원=600원$
$200원×3=600원$

$300원+300원+300원+300원=1200원$
$300원×4=1200원$

$400원+400원+400원+400원=1600원$
$400원×4=1600원$

19. 그림으로 그린 후, 곱셈식을 쓰고 답을 구해 보세요.

❶ 지갑이 5개 있어요. 각 지갑마다 400원씩 들어 있어요. 지갑 5개에 든 돈은 모두 얼마인가요?

식 :　$400원×5=2000원$
정답 :　2000원

❷ 지갑이 4개 있어요. 각 지갑마다 500원씩 들어 있어요. 지갑 4개에 든 돈은 모두 얼마인가요?

식 :　$500원×4=2000원$
정답 :　2000원

20. 계산한 후 정답에 해당하는 알파벳을 찾아 써넣으세요.

$8 × 5 = \underline{40}$ A　　$2 × 4 = \underline{8}$ W　　$4 × 3 = \underline{12}$ T
$3 × 4 = \underline{12}$ T　　$4 × 4 = \underline{16}$ E　　$4 × 5 = \underline{20}$ H
　　　　　　　　　　　　　　　　　$2 × 8 = \underline{16}$ E
$8 × 3 = \underline{24}$ O　　$2 × 9 = \underline{18}$ S
$9 × 4 = \underline{36}$ U　　$2 × 6 = \underline{12}$ T　　$6 × 3 = \underline{18}$ S
$4 × 7 = \underline{28}$ R　　$4 × 9 = \underline{36}$ U　　$6 × 2 = \underline{12}$ T
　　　　　　　　　　$5 × 3 = \underline{15}$ D　　$4 × 10 = \underline{40}$ A
$9 × 2 = \underline{18}$ S　　$4 × 0 = \underline{0}$ Y　　$7 × 4 = \underline{28}$ R
$8 × 4 = \underline{32}$ C　　　　　　　　　　$3 × 6 = \underline{18}$ S
$5 × 4 = \underline{20}$ H
$4 × 6 = \underline{24}$ O
$8 × 3 = \underline{24}$ O
$4 × 1 = \underline{4}$ L

0	4	8	12	15	16	18	20	24	28	32	36	40
Y	L	W	T	D	E	S	H	O	R	C	U	A

확인! 더 연습해요!

1. 지갑이 7개 있어요. 각 지갑마다 400원씩 들어 있어요. 지갑 7개에 든 돈은 모두 얼마인가요?

식　$400원×7=2800원$
정답　2800원

2. 계산해 보세요.

$4 × 3 = \underline{12}$
$4 × 7 = \underline{28}$
$4 × 9 = \underline{36}$
$4 × 6 = \underline{24}$
$4 × 5 = \underline{20}$
$4 × 4 = \underline{16}$

30　　31

AT OUR SCHOOL WE STUDY THE STARS.
우리는 학교에서 별을 공부해요.

IN THE SNOWSTORM KASSIE CRASHED INTO A SNOWBANK.
눈보라 속에서 캐시는 눈더미에 부딪혔어요.

32쪽 21번

❶ 4×🧢=12, 🧢=3

❷ 6×❄=30, ❄=5

❸ 6×⛄=24, ⛄=4

❹ 8×⚪=16, ⚪=2

❺ 3×❄=18, ❄=6

33쪽 25번

❹ 18보다 작고, 3단과 4단 모두 속한 수는 12. 시에나는 12

❺ 엘리스의 인형에 12를 더하면 로즈 인형의 수와 같으므로 두 수의 차가 12인 수는 68과 80. 로즈의 수가 더 크므로 로즈는 80, 엘리스는 68

❷ 토니의 인형은 2단, 5단, 10단에서 찾을 수 있고, 마벨 인형 수의 2배와 같음. 남은 수는 20, 24, 40이며 이 가운데 2배 차이가 나는 수는 20과 40. 토니는 40, 마벨은 20

❸ 남은 수는 24이며, 3단과 4단에서 찾을 수 있으므로 오스카는 24(3×8=24, 4×6=24)

🐿 **부모님 가이드 | 34쪽**

그림을 보며 아이에게 질문해 보세요.

– 귤이 모두 몇 개니? **12개**

– 그릇은 모두 몇 개니? **3개**

– 첫 번째 그릇에 귤이 몇 개 담겼니? **4개**

– 두 번째 그릇에는 귤이 몇 개 담겼니? **4개**

– 세 번째 그릇에는 귤이 몇 개 담겼니? **4개**

– 귤 12개를 그릇 3개에 똑같은 수로 나눌 수 있니? **네**

– 이걸 나눗셈식으로 만들어 몫을 구해 보렴. **12÷3=4**

– 나눗셈을 제대로 했는지 검산하려면 어떻게 해야 할까? **4×3=12**

정답

36-37쪽

★ 실력을 키워요!

5. 계산한 후 정답에 해당하는 알파벳을 찾아 써넣으세요.

10 = 5 × **2** C	14 = 7 × **2** C	90 = 9 × **10** P
12 = 4 × **3** U	25 = 5 × **5** A	0 = 8 × **0** O
20 = 10 × **2** C	32 = 8 × **4** B	36 = 6 × **6** T
9 = 3 × **3** U	28 = 7 × **4** B	45 = 9 × **5** A
27 = 3 × **9** M	35 = 7 × **5** A	48 = 8 × **6** T
36 = 9 × **4** B	10 = 10 × **1** G	0 = 10 × **0** O
70 = 10 × **7** E	28 = 4 × **7** E	
64 = 8 × **8** R		

0	1	2	3	4	5	6	7	8	9	10
O	G	C	U	B	A	T	E	R	M	P

6. 수 가족으로 곱셈식과 나눗셈식을 완성해 보세요.

3 × **4** = 12
4 × **3** = 12
12 ÷ **3** = **4**
12 ÷ **4** = **3**

3 × **8** = 24
8 × **3** = 24
24 ÷ **3** = **8**
24 ÷ **8** = **3**

★ 실력을 키워요!

7. 평면도형의 꼭짓점 수는 모두 같아요. 가운데 수는 꼭짓점 수의 합과 같아요. 빈칸에 알맞은 수를 써 보세요.

(도형 안의 수: 3, 12, 3, 3, 3 / 4, 12, 4, 4 / 4, 20, 4, 4, 4)

(육각형: 3, 18, 3, 3, 3, 3 / 5, 30, 5, 5, 5, 5 / 8, 48, 8, 8, 8, 8)

8. 아래 글을 읽고 썰매의 주인을 알아맞혀 보세요.

❶ 오토의 썰매는 3단과 4단에서 찾을 수 있어요.
❷ 로렌스의 썰매는 4단에서 찾을 수 있어요.
❸ 토미의 썰매에서 6을 뺀 수는 5단과 10단에서 찾을 수 있어요.
❹ 32를 4로 나누면 에릭 썰매의 수와 같아요.
❺ 24를 2로 나누면 브레드 썰매의 수와 같아요.
❻ 27을 3으로 나누면 알렉스 썰매의 수와 같아요.

20	24	12	36	9	8
로렌스	오토	브레드	토미	알렉스	에릭

37쪽 8번

❹ 32를 4로 나누면 에릭 썰매의 수와 같으므로 32÷4=8, 에릭의 썰매는 8

❺ 24를 2로 나누면 브레드 썰매의 수와 같으므로 24÷2=12, 브레드의 썰매는 12

❻ 27을 3으로 나누면 알렉스 썰매의 수와 같으므로 27÷3=9, 알렉스의 썰매는 9

남은 수 20, 24, 36 중에서 ❸ 토미의 썰매에서 6을 뺀 수는 5단과 10단에서 찾을 수 있으므로, 36-6=30, 토미의 썰매는 36

남은 수 20, 24 중에서 ❶ 오토의 썰매는 3단과 4단에서 찾을 수 있으므로 오토의 썰매는 24

남은 수는 20이며, ❷ 로렌스 썰매의 수는 4단에서 찾을 수 있으므로 로렌스의 썰매는 20

38-39쪽

★ 실력을 키워요!

9. 그림을 보고 곱셈식으로 계산해 보세요.

4 × 6 = 24

6 × 4 = 24

5 × 3 = 15

3 × 5 = 15

10. 규칙에 따라 수를 써넣어 보세요.

0	3	6	**9**	**12**	**15**	**18**	**21**	**24**	**27**	30
0	**4**	**8**	**12**	**16**	**20**	**24**	**28**	**32**	**36**	40
30	**27**	**24**	**21**	18	**15**	12	**9**	**6**	**3**	0
40	36	32	**28**	**24**	**20**	**16**	**12**	8	**4**	0

11. 계산해 보세요.

3 × 2 = **6**	8 × 4 - 4 = **28**	6 ÷ 2 = **3**
4 × 2 = **8**	4 × 8 - 8 = **24**	10 ÷ 5 = **2**
6 × 3 = **18**	9 × 3 + 3 = **30**	12 ÷ 3 = **4**
7 × 4 = **28**	3 × 9 + 9 = **36**	16 ÷ 4 = **4**

★ 실력을 키워요!

12. 그림으로 그린 후, 곱셈식을 쓰고 답을 구해 보세요.

① 교실에 책상이 3개 있어요. 각 책상마다 종이가 7장씩 있어요. 책상에 있는 종이는 모두 몇 장인가요?

식 : **7 × 3 = 21**
정답 : **21장**

② 필통에 연필이 21개 들어 있어요. 연필을 책상 3개에 똑같이 나눈다면 책상 1개에 몇 개의 연필을 두어야 하나요?

식 : **21 ÷ 3 = 7**
정답 : **7개**

③ 옷걸이에 외투가 4벌 걸려 있어요. 외투마다 단추를 8개씩 달아야 해요. 단추가 모두 몇 개 필요한가요?

식 : **8 × 4 = 32**
정답 : **32개**

④ 의자 32개를 교실 4곳에 똑같이 나눠서 가져다 놓아요. 한 교실에 몇 개의 의자를 가져가야 할까요?

식 : **32 ÷ 4 = 8**
정답 : **8개**

한 번 더 연습해요!

1. 책상 3개가 있는데, 책상 1개당 자를 6개씩 두어야 해요. 자가 모두 몇 개 필요한가요?

식 : **6 × 3 = 18**
정답 : **18개**

2. 계산해 보세요.

2 × 3 + 8 = **14**
2 × 3 + 9 = **15**
9 × 4 - 9 = **27**
4 × 9 - 7 = **29**
8 × 3 + 8 = **32**

🐿 부모님 가이드 | 39쪽 12번

아이와 함께 곱셈식과 나눗셈식에 관련된 이야기를 만들어 보세요.

엄마에게 스티커가 32개 있어. 그걸 색종이 4장에 똑같이 나눠서 붙이려고 해. 색종이 1장당 몇 개씩 붙여야 할까? 32÷4=8, 8개씩

엄마가 이야기를 들려주면 아이는 식을 만들어 쓰고요. 서로 역할을 바꿔 가며 놀이해 보세요. 이야기를 만들다 보면 곱셈과 나눗셈에 대한 개념이 더욱 탄탄하게 잡힙니다.

실력을 키워요!

13. 그림을 보고 곱셈식을 계산해 보세요.

2 × 3 = **6**
4 × 3 = **12**
6 × 3 = **18**

2 × 4 = **8**
4 × 4 = **16**
6 × 4 = **24**

3 × 3 = **9**
5 × 3 = **15**
8 × 3 = **24**

3 × 4 = **12**
5 × 4 = **20**
8 × 4 = **32**

14. 2개의 모자, 3개의 티셔츠, 3개의 반바지가 있어요. 토끼가 입을 수 있는 모든 경우의 옷차림을 색칠해 보세요.

토끼의 옷장

실력을 키워요!

15. □ 안에 알맞은 수를 넣어 곱셈 계단을 완성해 보세요.

21
3 × 7
3 × 1 × 7

24
4 × 6
2 × 2 × 3

40
10 × 4
5 × 2 × 2

16. 곱셈식을 생각하며 빈칸을 채워 보세요.

×	3	5	7	6	8
2	6	10	18	14	12	16
1	3	5	9	7	6	8
3	9	15	27	21	18	24
5	15	25	45	35	30	40
4	12	20	36	28	24	32
10	30	50	90	70	60	80

한 번 더 연습해요!

1. 수 가족을 찾은 후, 곱셈식과 나눗셈식을 완성해 보세요.

35
7   5
7 × 5 = 35
5 × 7 = 35
35 ÷ 7 = 5
35 ÷ 5 = 7

45
9   5
9 × 5 = 45
5 × 9 = 45
45 ÷ 5 = 9
45 ÷ 9 = 5

40쪽 14번

2×3×3=18가지

실력을 평가해 봐요!

_____월 _____일 _____요일

1. 규칙에 따라 수를 써넣어 보세요.

| 0 | 3 | 6 | 9 | 12 | 15 | 18 | 21 | 24 | 27 | 30 |

| 0 | 4 | 8 | 12 | 16 | 20 | 24 | 28 | 32 | 36 | 40 |

2. 그림을 보고 곱셈식을 완성해 보세요.

3 × 2 = 6

3 × 5 = 15

4 × 3 = 12

4 × 6 = 24

3. 그림으로 그린 후, 곱셈식을 쓰고 답을 구해 보세요.

3의 4배
3 × 4 = 12

4의 5배
4 × 5 = 20

4. 계산해 보세요.

3 × 3 = **9**
3 × 5 = **15**
8 × 3 = **24**

4 × 2 = **8**
4 × 3 = **12**
7 × 4 = **28**

3 × 7 + 10 = **31**
3 × 8 - 12 = **12**
4 × 0 + 17 = **17**

실력을 평가해 봐요!

5. 수 가족을 이용해서 곱셈식과 나눗셈식을 완성해 보세요.

21
7   3
7 × 3 = **21**
3 × 7 = **21**
21 ÷ 7 = **3**
21 ÷ 3 = **7**

32
8   4
8 × 4 = **32**
4 × 8 = **32**
32 ÷ 8 = **4**
32 ÷ 4 = **8**

6. 빈칸에 알맞은 수를 구해 보세요.

3 × **5** = 15
3 × **8** = 24
3 × **4** = 12
3 × **0** = 0

4 × **1** = 4
4 × **4** = 16
4 × **10** = 40
4 × **5** = 20

3 × **7** = 21
3 × **9** = 27
4 × **9** = 36
4 × **6** = 24

7. 그림을 그리고 식과 답을 구해 보세요.

야구 선수를 3그룹으로 나누었어요. 한 그룹에 6명씩 있다면 야구 선수는 모두 몇 명인가요?

식 : 6 × 3 = 18

정답 : 18명

얼마나 잘했나요?

실력이 자란 만큼 별을 색칠하세요.

☆ ☆ ☆

★★★ 정말 잘했어요.
★★☆ 꽤 잘했어요.
★☆☆ 계속 노력할게요.

44-45쪽

45쪽 5번

❶ 🕯 × 🍬 =18과

❷ 🦴 × 🍬 =18에서 가능한
수는 1과 18, 2와 9,
3과 6임.

❸ 🦴 - 🍬 =7에서 차가 7만큼
나는 수는 2와 9이므로
🦴 =9, 🍬 =2

❹ 🕯 - 🦴 - 🍬 =1, 🍬 =2를
넣으면 🕯 -2=1,
🕯 -3=3, ❶에서 나온
가능한 수 1과 18, 2와
9, 3과 6 중 차가 3만큼
나는 수는 3과 6, 🍬 이 더
크므로 🍬 =6, 🕯 =3

46-47쪽

46쪽 3번

❷번 값을 ❶번 식에 넣으면
25+ 🍥 + 🍥 =39,
🍥 + 🍥 =39-25,
2× 🍥 =14, 🍥 =7

❷ 7+ ⭕ + ⭕ =25,
⭕ + ⭕ =25-7,
2× ⭕ =18, ⭕ =9

❹ 🍮 + 🍮 +7+7+7+7=46,
3× 🍮 =46-28, 3× 🍮 =18,
🍮 =6

❸ 🐾 + 🐾 + 🐾 +6+6+6+6=60,
🐾 + 🐾 + 🐾 =60-24,
3× 🐾 =36, 🐾 =12

4 덧셈의 결합 법칙

덧셈에서는 순서를 바꾸어 더해도 결과같은 같다는 말이구나~!

결합 법칙이란, 세 수의 합을 구할 때 앞의 두 수 또는 뒤의 두 수를 먼저 더한 후 나머지 한 수를 더해도 결과가 같다는 법칙이야.

37 + 5 + 3 = 45
(37 + 3) + 5 = 45

몇십이 되도록 순서를 바꾸어 더해도 답은 같아요.

1. 10을 만들어서 계산해 보세요.

28
28 + 6 + 2 = 36
(28 + 2) + 6 = 36

24
24 + 8 + 6 = 38
(24 + 6) + 8 = 38

35
35 + 6 + 5 = 46
(35 + 5) + 6 = 46

49
49 + 7 + 1 = 57
(49 + 1) + 7 = 57

2. 몇십을 만들 수 있는 수끼리 색칠한 후 계산해 보세요.

7 / 32 / 47 / 8
54 / 5 / 65 / 6
3 / 17 / 28 / 4
85 / 2 / 92 / 5
8 / 29 / 38 / 2
48 / 6 / 56 / 2

3. 계산해 보세요.

6 + 12 + 24 = 42
13 + 24 + 7 = 44
19 + 31 + 17 = 67

5 + 5 + 10 + 2 = 22
6 + 6 + 18 + 7 = 37
1 + 7 + 7 + 26 = 41

한 번 더 연습해요!

1. 10을 만들어서 계산해 보세요.

56 + 8 + 4 = 68
(56 + 4) + 8 = 68

56

2. 계산해 보세요.

1 + 19 + 16 = 36
5 + 8 + 35 = 48
31 + 4 + 36 = 71
9 + 23 + 27 = 59

7 + 7 + 10 + 6 = 30
18 + 12 + 3 + 4 = 37
23 + 18 + 6 + 6 = 53
50 + 9 + 9 + 2 = 70

48 / 49

부모님 가이드 | 48쪽

그림을 보며 아이에게 질문해 보세요.
- 여자아이 앞에 얼마가 있니? 37
- 다람쥐에게는 얼마가 있니? 5
- 새에게는 얼마가 있니? 3
- 10만들기를 하려면 누구 수와 누구 수를 더해야 할까? 여자아이와 새가 가진 수(37+3=40)

MEMO

47쪽 4번

❶ ▲=5를 넣으면, 5+5=◖◗◆, 5+5=10이므로 ◖=1, ◆=0

❼ ◖◗◆=10, ▲=5를 넣으면, 10÷◯=5, ◯=2

❸ ◯=2, ◆=0을 넣으면, 2×20=40, ✚=4

❻ ✚=4, ◯=2, ▲=5를 넣으면 42-5=37, ♥=3, ✖=7

❷ ✚=4, ◆=0, ▲=5를 넣으면 40÷5=★, ★=8

❺ ✚=4, ◯=2를 넣으면, 4×✿=24, ✿=6

❹ ♥=3, ✿=6, ✚=4를 넣으면 36÷4=◗, ◗=9

47쪽 5번

84÷6=14
84÷7=12
84÷12=7
84÷14=6

47쪽 6번

❶ 막대사탕의 개수는 10개보다 많고 30개보다 작아요. →10과 30 사이의 수임.

❸ 6명의 아이들에게 막대사탕을 나누어 주면 짝수 개수를 받게 돼요. →10과 30 사이의 수 중 6단과 짝수의 곱이 되는 수이므로 12(6×2) 또는 24(6×4)가 됨.

❷ 5명의 아이들에게 막대사탕을 나누어 주면 4개가 남아요. →5명의 아이들에게 4개씩 나누어 주면 20개가 되고, 24개에서 20개를 빼면 4개가 남음.

정답

50-51쪽

4. 계산값에 맞게 색칠해 보세요.

(78, 56, 67 그릇)

24 + 17 + 26 / 20 + 34 + 24 / 15 + 25 + 16 / 12 + 22 + 22 / 29 + 19 + 30 / 28 + 8 + 20 / 13 + 27 + 38 / 40 + 18 + 9 / 26 + 22 + 8 / 38 + 9 + 20 / 29 + 21 + 27 / 15 + 25 + 27 / 29 + 27 + 28

5. 그림이 들어간 식을 보고 그림의 값을 구해 보세요.

■ ÷ 2 = ▲	■ = **48** ❶
● + 28 + 8 = ■	▲ = **24** ❷
▲ + 18 + 8 = ⬠	● = **12** ❸
6 × 2 = ●	⬠ = **50** ❹

6. 가로와 세로의 합은 항상 73이 되도록 빈칸을 채워 보세요.

32 / **10** 43 20 / **15** 33 21 / **27**
38 / **19** **36** **30** **24** / 17
3 26 **44** / 17 **28** 28 / **24** **20** 29

7. 그래프를 보고 식을 쓴 후, 답을 구해 보세요.

❶ 새우, 네온테트라, 베타는 모두 몇 마리인가요?
식 : **44 + 23 + 16 = 83**
정답 : **83마리**

❷ 금붕어, 구피, 엔젤피시는 모두 몇 마리인가요?
식 : **38 + 27 + 12 = 77**
정답 : **77마리**

❸ 새우는 구피보다 몇 마리 더 많은가요?
식 : **44 - 27 = 17**
정답 : **17마리**

❹ 베타와 구피의 합은 금붕어보다 몇 마리 더 많은가요?
식 : **16 + 27 - 38 = 5**
정답 : **5마리**

50쪽 5번

❸ 6×2=● , ●=12

❶ ● +28+8=■ ,
12+28+8=48, ■=48

❷ ■÷2=▲ , 48÷2=24,
▲=24

❹ ▲ +18+8=⬠ ,
24+18+8=50, ⬠=50

🐿 부모님 가이드 | 51쪽 7번

문제를 풀기 전에 막대 그래프를 보고 여러 가지 이야기를 나눠 봅니다. 막대 옆에 각각의 수치를 써 보고, 수족관에 어떤 종류의 생물이 가장 많은지, 어떤 종류가 가장 적은지 등 이야기를 나누며 그래프를 분석해 봅니다.

52-53쪽

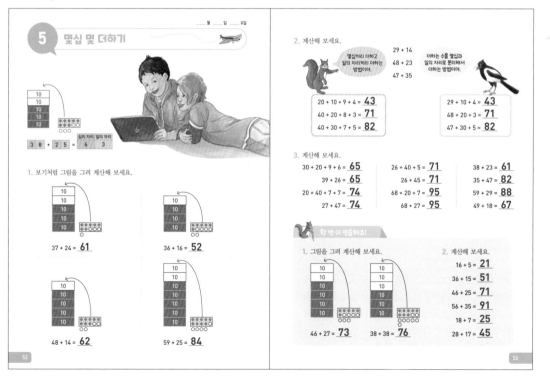

5 몇십 몇 더하기

38 + 25 / 십의 자리 6, 일의 자리 3

1. 보기처럼 그림을 그려 계산해 보세요.

37 + 24 = **61**
36 + 16 = **52**
48 + 14 = **62**
59 + 25 = **84**

2. 계산해 보세요.

29 + 14 / 48 + 23 / 47 + 35

몇십끼리 더하고 일의 자리끼리 더하는 방법이야.

20 + 10 + 9 + 4 = **43**
40 + 20 + 8 + 3 = **71**
40 + 30 + 7 + 5 = **82**

더하는 수를 몇십과 일의 자리로 분리해서 더하는 방법이야.

29 + 10 + 4 = **43**
48 + 20 + 3 = **71**
47 + 30 + 5 = **82**

3. 계산해 보세요.

30 + 20 + 9 + 6 = **65**
39 + 26 = **65**
20 + 40 + 7 + 7 = **74**
27 + 47 = **74**

26 + 40 + 5 = **71**
26 + 45 = **71**
68 + 20 + 7 = **95**
68 + 27 = **95**

38 + 23 = **61**
35 + 47 = **82**
59 + 29 = **88**
49 + 18 = **67**

🐿 한 번 더 연습해요!

1. 그림을 그려 계산해 보세요.

46 + 27 = **73**
38 + 38 = **76**

2. 계산해 보세요.

16 + 5 = **21**
36 + 15 = **51**
46 + 25 = **71**
56 + 35 = **91**
18 + 7 = **25**
28 + 17 = **45**

🐿 부모님 가이드 | 52쪽

그림을 보며 아이에게 질문해 보세요.

– 38은 10개씩 묶음이 몇 개, 낱개가 몇 개니? **10개씩 묶음 3개, 낱개 8개**

– 십의 자리에 10개씩 묶음 몇 개가 더해졌니? **10개씩 묶음 2개**

– 낱개 8개에 몇 개를 더 채웠더니 100이 되었니? **낱개 2개**

– 낱개 몇 개가 남았니? **3개**

– 낱개 10개는 뭐가 되었니? **10개씩 묶음 1개**

– 38+25를 계산해 보렴. **63**

실력을 키워요!

4. 그림을 보고 돈의 합이 얼마인지 구해 보세요.

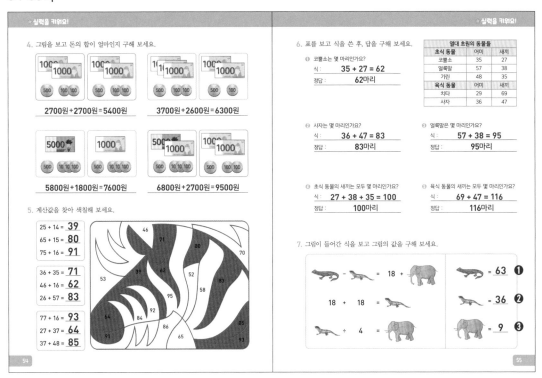

2700원 + 2700원 = 5400원　　3700원 + 2600원 = 6300원

5800원 + 1800원 = 7600원　　6800원 + 2700원 = 9500원

5. 계산값을 찾아 색칠해 보세요.

25 + 14 = **39**
65 + 15 = **80**
75 + 16 = **91**

36 + 35 = **71**
46 + 16 = **62**
26 + 57 = **83**

77 + 16 = **93**
47 + 37 = **64**
37 + 48 = **85**

실력을 키워요!

6. 표를 보고 식을 쓴 후, 답을 구해 보세요.

열대 초원의 동물들

초식 동물	어미	새끼
코뿔소	35	27
얼룩말	57	38
기린	48	35
육식 동물	어미	새끼
치타	29	69
사자	36	47

① 코뿔소는 몇 마리인가요?
식 : **35 + 27 = 62**
정답 : **62마리**

② 사자는 몇 마리인가요?
식 : **36 + 47 = 83**
정답 : **83마리**

③ 얼룩말은 몇 마리인가요?
식 : **57 + 38 = 95**
정답 : **95마리**

④ 초식 동물의 새끼는 모두 몇 마리인가요?
식 : **27 + 38 + 35 = 100**
정답 : **100마리**

⑤ 육식 동물의 새끼는 모두 몇 마리인가요?
식 : **69 + 47 = 116**
정답 : **116마리**

7. 그림이 들어간 식을 보고 그림의 값을 구해 보세요.

55쪽 7번

❷ 18+18= 🦎 ,
🦎 =36

❸ 🦎 ÷4= 🐘 ,
36÷4= 🐘 , 🐘 =9

❶ 🦎 - 🦎 =18+ 🐘 ,
🦎 -36=18+9,
🦎 =27+36,
🦎 =63

6 빼지는 수 구하기

_____월 _____일 _____요일

처음 수에서
다른 수를 뺄 때,
그 처음 수를
빼지는 수라고 해~!

37 – 12 = 25
빼지는 수 구하는 법 : 25 + 12 = **37**

1. 빼지는 수를 구해 보세요.

28 – 17 = 11
빼지는 수 : 11 + 17 = **28**

36 – 22 = 14
빼지는 수 : 14 + 22 = **36**

39 – 13 = 26
빼지는 수 : 26 + 13 = **39**

2. 수 가족을 이용해서 덧셈식과 뺄셈식을 완성해 보세요.

59
| 32 | 27 |

32 + **27** = 59
27 + **32** = 59
59 – 27 = 32
59 – 32 = 27

87
| 53 | 34 |

53 + **34** = 87
34 + **53** = 87
87 – 34 = 53
87 – 53 = 34

3. 빼지는 수를 구해 보세요.

75 – 23 = 52
빼지는 수 : 52 + 23 = **75**

38 – 25 = 13
46 – 22 = 24

67 – 41 = 26
72 – 31 = 41

60 – 14 = 46
빼지는 수 : 46 + 14 = **60**

85 – 62 = 23
97 – 24 = 73

한 번 더 연습해요!

1. 수 가족을 이용해서 덧셈식과 뺄셈식을 완성해 보세요.

68
| 43 | 25 |

43 + **25** = 68
25 + **43** = 68
68 – 25 = 43
68 – 43 = 25

2. 빼지는 수를 구해 보세요.
49 – 23 = 26
67 – 56 = 11
85 – 61 = 24
56 – 33 = 23
80 – 42 = 38
94 – 21 = 73

부모님 가이드 | 56쪽

그림을 보며 아이에게 질문해 보세요.
– 수족관 앞의 작은 어항에 금붕어가 몇 마리 있니? **12마리**
– 수족관 안에는 금붕어가 몇 마리 있니? **25마리**
– 어항의 금붕어는 원래 수족관 안에 있었어. 어항에 금붕어를 덜어 내기 전에는 몇 마리가 있었을까? 덧셈식으로 구해 보렴. **25+12=37**

58-59쪽

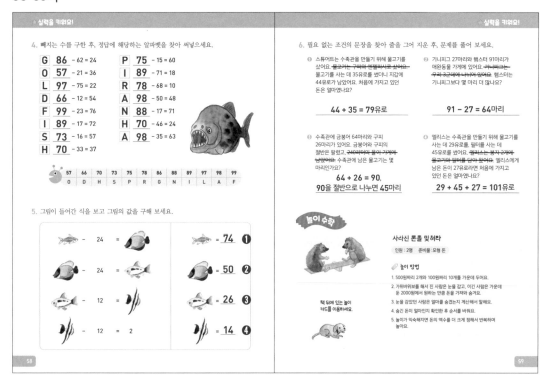

실력을 키워요!

4. 빼지는 수를 구한 후, 정답에 해당하는 알파벳을 찾아 써넣으세요.

G	86 - 62 = 24		P	75 - 15 = 60
O	57 - 21 = 36		I	89 - 71 = 18
L	97 - 75 = 22		R	78 - 68 = 10
D	66 - 12 = 54		A	98 - 50 = 48
F	99 - 23 = 76		N	88 - 17 = 71
I	89 - 17 = 72		H	70 - 46 = 24
S	73 - 16 = 57		A	98 - 35 = 63
H	70 - 33 = 37			

57	66	70	73	75	78	86	88	89	97	98	99
O	D	H	S	P	R	G	N	I	L	A	F

5. 그림이 들어간 식을 보고 그림의 값을 구해 보세요.

물고기 - 24 = 물고기 = **74** ❶
물고기 - 24 = 물고기 = **50** ❷
물고기 - 12 = 수초 = **26** ❸
수초 - 12 = 2 = 물고기 = **14** ❹

실력을 키워요!

6. 필요 없는 조건의 문장을 찾아 줄을 그어 지운 후, 문제를 풀어 보세요.

❶ 스튜어트는 수족관을 만들기 위해 물고기를 샀어요. 물고기는 구피와 엔젤피시로 샀어요. 물고기를 사는 데 35유로를 썼더니 지갑에 44유로가 남았어요. 처음에 가지고 있던 돈은 얼마였나요?

44 + 35 = 79유로

❷ 기니피그 27마리와 햄스터 91마리가 애완동물 가게에 있어요. 기니피그는 우리 3군데에 나뉘어 있어요. 햄스터는 기니피그보다 몇 마리 더 많나요?

91 - 27 = 64마리

❸ 수족관에 금붕어 64마리와 구피 26마리가 있어요. 금붕어와 구피의 절반은 팔렸고, 240리터의 물이 가게에 남았어요. 수족관에 남은 물고기는 몇 마리인가요?

64 + 26 = 90,
90을 절반으로 나누면 45마리

❹ 엘리스는 수족관을 만들기 위해 물고기를 사는 데 29유로를, 필터를 사는 데 45유로를 썼어요. 엘리스는 봉지 2군데에 물고기와 필터를 담아 왔어요. 엘리스에게 남은 돈이 27유로라면 처음에 가지고 있던 돈은 얼마였나요?

29 + 45 + 27 = 101유로

놀이 수학

사라진 돈을 맞혀라
인원 : 2명   준비물 : 모형 돈

놀이 방법
1. 500원짜리 2개와 100원짜리 10개를 가운데 두어요.
2. 가위바위보를 해서 진 사람은 눈을 감고, 이긴 사람은 가운데 둔 2000원에서 원하는 만큼 돈을 가져와 숨겨요.
3. 눈을 감았던 사람은 얼마를 숨겼는지 계산해서 말해요.
4. 숨긴 돈이 얼마인지 확인한 후 순서를 바꿔요.
5. 놀이가 익숙해지면 돈의 액수를 더 크게 정해서 반복하며 놀아요.

책 뒤에 있는 놀이 카드를 이용하세요.

58쪽 5번

❹ 수초 -12=2, 수초 =14
❸ 물고기 -12= 수초,
   물고기 -12=14, 수초 =26
❷ 물고기 -24= 물고기,
   물고기 -24=26, 물고기 =50
❶ 물고기 -24= 물고기,
   물고기 -24=50, 물고기 =74

60-61쪽

7 받아 내림이 있는 뺄셈

빼는 수의 일의 자리 수가 빼지는 수보다 클 경우 윗자리에서 10을 받아 내림하여 빼요.

54 - 26 =
십의 자리 | 일의 자리
2 | 8

1. 그림을 지워 가며 계산해 보세요.

43 - 27 = **16**
52 - 15 = **37**
55 - 36 = **19**
61 - 23 = **38**

2. 계산해 보세요.

63 - 20 - 4 = **39**
63 - 24 = **39**
71 - 40 - 5 = **26**
71 - 45 = **26**
82 - 30 - 7 = **45**
82 - 37 = **45**

54 - 10 - 8 = **36**
54 - 18 = **36**
95 - 20 - 7 = **68**
95 - 27 = **68**
73 - 50 - 9 = **14**
73 - 59 = **14**

3. 계산해 보세요.

12 - 4 = **8**
32 - 14 = **18**
52 - 24 = **28**
72 - 34 = **38**

11 - 6 = **5**
41 - 16 = **25**
61 - 26 = **35**
81 - 36 = **45**

14 - 7 = **7**
64 - 17 = **47**
84 - 27 = **57**
94 - 37 = **57**

한 번 더 연습해요!

1. 그림을 지워 가며 계산해 보세요.

65 - 29 = **36**
53 - 35 = **18**

2. 계산해 보세요.

13 - 6 = **7**
33 - 16 = **17**
53 - 26 = **27**
16 - 8 = **8**
46 - 18 = **28**
76 - 28 = **48**

부모님 가이드 | 60쪽

그림을 보며 아이에게 질문해 보세요.
- 54는 10개씩 묶음이 몇 개, 낱개가 몇 개니? **10개씩 묶음 5개, 낱개 4개**
- 십의 자리에서 10개씩 묶음 몇 개가 빠졌니? **10개씩 묶음 2개**
- 낱개에서 뺄 수 있는 수가 몇 개 있니? **4개**
- 6을 빼려면 낱개 4개를 뺀 후 십의 자리에서 몇 개를 더 빼야 하니? **2개**
- 십의 자리에서 2개를 빼고 남은 낱개 8개는 어디로 가야 하니? **일의 자리**
- 54-26을 계산해 보렴. **28**

62쪽

4. 계산값이 같은 것끼리 이어 보세요.

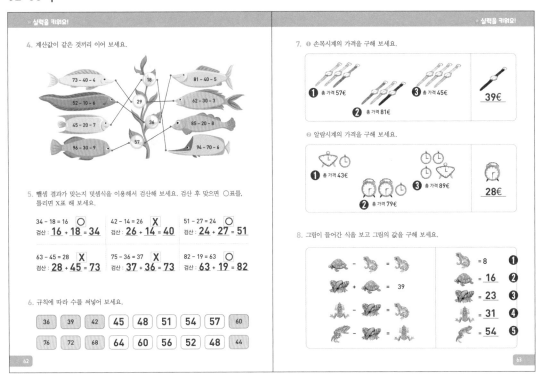

73 - 40 - 4
52 - 10 - 6
45 - 20 - 7
96 - 30 - 9

18
29
36
57

81 - 40 - 5
62 - 30 - 3
85 - 20 - 8
94 - 70 - 6

5. 뺄셈 결과가 맞는지 덧셈식을 이용해서 검산해 보세요. 검산 후 맞으면 ○표를, 틀리면 X표 해 보세요.

34 - 18 = 16 ○
검산: **16 + 18 = 34**

42 - 14 = 26 X
검산: **26 + 14 = 40**

51 - 27 = 24 ○
검산: **24 + 27 = 51**

63 - 45 = 28 X
검산: **28 + 45 = 73**

75 - 36 = 37 X
검산: **37 + 36 = 73**

82 - 19 = 63 ○
검산: **63 + 19 = 82**

6. 규칙에 따라 수를 써넣어 보세요.

| 36 | 39 | 42 | 45 | 48 | 51 | 54 | 57 | 60 |

| 76 | 72 | 68 | 64 | 60 | 56 | 52 | 48 | 44 |

63쪽

7. ① 손목시계의 가격을 구해 보세요.

❶ 총 가격 57€
❷ 총 가격 81€
❸ 총 가격 45€

39€

② 알람시계의 가격을 구해 보세요.

❶ 총 가격 43€
❷ 총 가격 79€
❸ 총 가격 89€

28€

8. 그림이 들어간 식을 보고 그림의 값을 구해 보세요.

🐢 - 🐸 = 🐸
🐢 + 🐢 = 39
🐸 - 🦎 = 🐸
🐸 - 🦎 = 🐸

= 8 ❶
= **16** ❷
= **23** ❸
= **31** ❹
= **54** ❺

63쪽 7번 ①

❸ 3× ⌚ =45, ⌚ =15

❶ ⌚ + ⌚ + ⌚ =57, 15+15+ ⌚ =57,
⌚ =57-30, ⌚ =27

❷ ⌚ + ⌚ + ⌚ =81, 27+15+ ⌚ =81,
⌚ =81-42, ⌚ =39

63쪽 7번 ②

❶번 값을 ❸번 식에 넣으면 ⏰ + ⏰ +43 = 89,
⏰ + ⏰ = 46, ⏰ = 23

❶ ⏰ + ⏰ = 43, ⏰ +23 = 43,
⏰ = 43-23, ⏰ =20

❷ ⏰ + ⏰ + ⏰ = 79, ⏰ + ⏰ +23 = 79,
⏰ + ⏰ = 56, ⏰ = 28

63쪽 8번

❷ 🐢 - 🐸 = 🐸,
🐸 =8을 넣으면,
🐢 -8 = 8, 🐢 =16

❸ 🦎 + 🐢 =39,
🦎 =39-16, 🦎 =23

❹ 🐸 - 🦎 = 🐸,
🐸 -23 = 8, 🐸 =8+23,
🐸 =31

❺ 🦎 - 🐸 = 🐸,
🦎 -23 = 31, 🦎 =31+23,
🦎 =54

MEMO

64-65쪽

MEMO

65쪽 11번

왼쪽부터 순서대로 열쇠에 가, 나, 다, 라, 마를 붙이고 파란색과 노란색의 구슬 개수를 써 보면 다음과 같아요.

	가	나	다	라	마
노란색 구슬	3	5	5	4	4
파란색 구슬	6	5	6	5	3
전체 구슬 개수	9	10	11	9	7

❹ 알렉스의 열쇠는 파란색 구슬과 노란색 구슬의 개수가 같아요. →알맞은 조건의 열쇠는 나

❺ 케빈과 토미의 열쇠는 파란색 구슬의 개수가 같아요. →알렉스의 열쇠인 나를 빼고 파란색 구슬 개수가 같은 열쇠는 가와 다이므로 가와 다는 케빈과 토미임.

❸ 아만다와 미나의 열쇠는 노란색 구슬의 개수가 같아요. →가, 나, 다를 빼고 남은 열쇠 라와 마는 아만다와 미나

❷ 미나와 알렉스의 열쇠는 파란색 구슬의 개수가 같아요. →나와 파란색 구슬의 개수가 같은 열쇠는 라. 그러므로 라는 미나, 마는 아만다.

❶ 토미의 열쇠는 아만다의 열쇠보다 구슬 개수가 2개 더 많아요. →마(아만다)는 구슬이 7개이므로 토미의 열쇠 구슬 개수는 9개가 되어야 함. 가와 라 중 라는 미나의 열쇠이므로 가는 토미, 다는 케빈임.

18

8 세로셈 덧셈

세로셈을 할 때는 같은 자리끼리 더해야 해서 꼭 줄을 잘 맞추어야 해~!

세로셈 덧셈에서는 일의 자리부터 더한 후, 십의 자리끼리 더해요.

1. 수 막대를 보고 세로셈을 계산해 보세요.

2. 세로셈으로 계산한 후, 정답을 찾아 ○표 해 보세요.

31 + 23, 21 + 42, 34 + 25, 24 + 54
32 + 41, 26 + 32, 62 + 17

한 번 더 연습해요!

1. 세로셈으로 계산해 보세요.

2. 세로셈으로 계산해 보세요.
43 + 33, 26 + 71, 53 + 15, 62 + 25

실력을 키워요!

3. 수 막대를 그린 후, 세로셈으로 계산해 보세요.
42 + 34, 62 + 32, 31 + 54, 52 + 15

4. 계산값에 맞게 색칠해 보세요.
44 < ● < 54   ● = 54   54 < ● < 64

실력을 키워요!

5. □ 안에 알맞은 수를 구해 보세요.

6. 규칙을 알아낸 후, 빈칸에 알맞은 수를 구해 보세요.

스스로 문제를 만들어 풀어 보세요.

70-71쪽

부모님 가이드 | 70쪽

그림을 보며 아이에게 질문해 보세요.

– 왼쪽 선반에 10개씩 묶음으로 된 통조림이 몇 개 있니? **2개**

– 오른쪽 선반에 낱개로 된 파란색 통조림이 몇 개 있니? **3개**

– 손님이 10개씩 묶음으로 된 통조림을 몇 개 가져갔니? **3개**

– 손님이 낱개 통조림을 몇 개 가져갔니? **4개**

– 원래 선반에는 통조림이 몇 개 있었었니? 식을 세워서 구해 봐. **23+34=57**

72-73쪽

20

74-75쪽

실력을 키워요!

7. 세로셈으로 계산한 후, 정답을 찾아 ○표 해 보세요.

40 + 30
```
  4 0
+ 3 0
  7 0
```

60 + 27
```
  6 0
+ 2 7
  8 7
```

84 + 5
```
  8 4
+   5
  8 9
```

8 + 50
```
    8
+ 5 0
  5 8
```

90 - 40
```
  9 0
- 4 0
  5 0
```

49 - 6
```
  4 9
-   6
  4 3
```

76 - 75
```
  7 6
- 7 5
    1
```

98 - 98
```
  9 8
- 9 8
    0
```

⓪ ① 2 ㊸ ㊿ ㊽ ⑦⓪ ㊲ ㉇

8. □ 안에 +, −를 알맞게 써넣어 보세요.

```
  5 3
- 3 1
  2 2
```

```
  6 7
+ 2 0
  8 7
```

```
  4 6
-   5
  4 1
```

```
  3 5
- 1 5
  2 0
```

9. □ 안에 알맞은 수를 구해 보세요.

```
  2 3
+ 1 4
  3 7
```

```
  4 1
+ 2 7
  6 8
```

```
    5
+ 8 4
  8 9
```

```
  6 5
- 3 4
  3 1
```

```
  7 4
- 1 0
  6 4
```

```
  5 8
- 3 4
  2 4
```

74

실력을 키워요!

10. 아래 글을 읽고 식을 쓴 후, 세로셈으로 계산해 보세요.

① 애견 쇼에 푸들 32마리와 스패니얼 26마리가 나왔어요. 애견 쇼에 나온 개는 모두 몇 마리인가요?

식 : 32 + 26
```
  3 2
+ 2 6
  5 8
```
정답 : 58마리

② 애견 쇼에 테리어 54마리와 닥스훈트 35마리가 나왔어요. 애견 쇼에 나온 개는 모두 몇 마리인가요?

식 : 54 + 35
```
  5 4
+ 3 5
  8 9
```
정답 : 89마리

③ 애견 쇼에 슈나우저 49마리가 나왔어요. 퍼그는 슈나우저보다 13마리 적게 나왔어요. 애견 쇼에 나온 퍼그는 몇 마리인가요?

식 : 49 - 13
```
  4 9
- 1 3
  3 6
```
정답 : 36마리

한 번 더 연습해요!

1. 세로셈으로 계산해 보세요.

52 + 7
```
  5 2
+   7
  5 9
```

70 + 19
```
  7 0
+ 1 9
  8 9
```

68 - 6
```
  6 8
-   6
  6 2
```

49 - 48
```
  4 9
- 4 8
    1
```

2. □ 안에 알맞은 수를 구해 보세요.

```
  2 1
+ 5 8
  7 9
```

```
  3 0
+ 6 3
  9 3
```

```
  8 5
- 4 2
  4 3
```

```
  7 6
- 6 4
  1 2
```

15

76-77쪽

실력을 키워요!

11. 세로셈으로 계산한 후, 아래 그림에서 계산값을 찾아 색칠해 보세요.

53 + 25
```
  5 3
+ 2 5
  7 8
```

30 + 10
```
  3 0
+ 1 0
  4 0
```

79 - 34
```
  7 9
- 3 4
  4 5
```

89 - 31
```
  8 9
- 3 1
  5 8
```

53 + 6
```
  5 3
+   6
  5 9
```

50 + 47
```
  5 0
+ 4 7
  9 7
```

99 - 3
```
  9 9
-   3
  9 6
```

80 - 20
```
  8 0
- 2 0
  6 0
```

23 + 41
```
  2 3
+ 4 1
  6 4
```

21 + 64
```
  2 1
+ 6 4
  8 5
```

89 - 10
```
  8 9
- 1 0
  7 9
```

78 - 44
```
  7 8
- 4 4
  3 4
```

76

실력을 키워요!

12. 아래 글을 읽고 식을 쓴 후, 세로셈으로 계산해 보세요.

① 애견 쇼에 푸들 41마리, 닥스훈트 15마리, 슈나우저 23마리가 나왔어요. 애견 쇼에 나온 개는 모두 몇 마리인가요?

식 : 41 + 15 + 23

정답 : 79마리

```
  4 1
  1 5
+ 2 3
  7 9
```

② 동물 병원에 햄스터 24마리, 앵무새 32마리, 고양이 12마리가 있어요. 동물 병원에 있는 동물은 모두 몇 마리인가요?

식 : 24 + 32 + 12

정답 : 68마리

```
  2 4
  3 2
+ 1 2
  6 8
```

③ 빨간 접시 21개, 파란 접시 20개, 흰 접시 54개가 그릇장에 들어 있어요. 그릇장에 있는 접시는 모두 몇 개인가요?

식 : 21 + 20 + 54

정답 : 95개

```
  2 1
  2 0
+ 5 4
  9 5
```

놀이 수학

세로셈 계산 놀이

인원 : 2명   준비물 : 0에서 4까지의 수 카드 2세트, +, − 카드

< 보기 >
```
  3 4        2 3  ← 빼지는 수
+ 4 0      − 1 2  ← 빼는 수
```

놀이 방법

· 덧셈 세로셈
1. 0에서 4까지의 수 카드 2세트를 섞어서 뒤집어 놓아요.
2. 순서를 정해 교대로 카드를 뽑은 다음 보기처럼 식을 만들어 보세요.
3. 식을 만든 다음 +카드를 놓고 세로셈으로 계산해 보세요.
4. 계산값이 더 큰 사람이 이겨요.

· 뺄셈 세로셈
1. 0에서 4까지의 수 카드 2세트를 섞어서 뒤집어 놓아요.
2. 순서를 정해 교대로 카드를 뽑은 다음 보기처럼 식을 만들어 보세요.
3. 식을 만든 다음 −카드를 놓고 세로셈으로 계산해 보세요. (빼지는 수를 빼는 수보다 더 크게 해서 식을 만들어요.)
4. 계산값이 더 작은 사람이 이겨요.

책 뒤에 있는 놀이 카드를 이용하세요.

77

부모님 가이드 | 77쪽 12번

세 수의 덧셈을 세로셈으로 길게 계산해 보는 문제예요. 자로 선을 그어 칸을 만든 후 일의 자리와 십의 자리에 맞춰 수를 적게 합니다. 그리고 마지막에 + 기호는 하나만 적는 걸 기억하도록 합니다.

```
  4 1
  1 5
+ 2 3
  7 9
```

```
  2 4
  3 2
+ 1 2
  6 8
```

```
  2 1
  2 0
+ 5 4
  9 5
```

21

78-79쪽

실력을 키워요!

13. 주어진 돈에서 물건을 사고 나면 얼마가 남나요? 식을 쓰고 세로셈으로 계산해 보세요.

식: 5900원-3300원

```
  5 9 0 0
- 3 3 0 0
  2 6 0 0
```
정답: 2600원

식: 6500원-2400원

```
  6 5 0 0
- 2 4 0 0
  4 1 0 0
```
정답: 4100원

식: 7800원-7600원

```
  7 8 0 0
- 7 6 0 0
    2 0 0
```
정답: 200원

식: 7700원-6700원

```
  7 7 0 0
- 6 7 0 0
  1 0 0 0
```
정답: 1000원

책 뒤에 있는 모형 돈을 활용하세요.

실력을 키워요!

14. 식을 쓰고 세로셈으로 계산해 보세요. 필요 없는 조건의 문장은 줄로 그어 보세요.

❶ 검은 단추 37개와 파란 단추 61개가 상자에 있어요. ~~상자 안에 5개의 칸막이로 나뉘어 있어요.~~ 상자 안에 들어 있는 단추는 모두 몇 개인가요?

식: 37 + 61
정답: 98개

```
  3 7
+ 6 1
  9 8
```

❷ 상자 안에 공이 84개가 있어요. ~~각각의 공에는 별무늬가 17개씩 있어요.~~ 공이 42개 팔렸다면 상자 안에 남은 공은 몇 개인가요?

식: 84 − 42
정답: 42개

```
  8 4
- 4 2
  4 2
```

❸ 곰 인형 68개가 상자 안에 있어요. 토끼 인형은 곰 인형보다 15개 더 적고, ~~곰 인형의 길이는 35cm와 같아요.~~ 상자 안에 있는 토끼 인형은 몇 개인가요?

식: 68 − 15
정답: 53개

```
  6 8
- 1 5
  5 3
```

한 번 더 연습해요!

1. 식을 쓰고 세로셈으로 계산해 보세요. 필요 없는 조건의 문장은 줄로 그어 보세요.

실비아는 수족관에서 금붕어 24마리를 샀어요. ~~어항의 높이는 50cm예요.~~ 실비아가 사기 전에 수족관 어항에는 금붕어가 56마리 있었어요. 어항에 남은 금붕어는 몇 마리인가요?

식: 56 − 24
정답: 32마리

```
  5 6
- 2 4
  3 2
```

2. 계산해 보세요.

26 + 14 = **40**
37 + 26 = **63**
18 + 78 = **96**
13 − 5 = **8**
33 − 15 = **18**
53 − 25 = **28**

부모님 가이드 | 79쪽 14번

요즘 수학 문제는 문장제 문제가 대부분이어서 문해력이 무척 중요합니다. 필요없는 조건을 찾아 지우는 문제를 풀면서 문제 해결에 필요한 정보를 확인하는 연습을 할 수 있습니다.

80-81쪽

실력을 키워요!

15. 계산값이 같은 것끼리 이어 보세요.

41 + 23 → 64
25 + 52 → 77
58 + 18 → 76
38 + 27 → 65

89 − 24 → 65
91 − 14 → 77
82 − 18 → 64
99 − 23 → 76

16. 세로셈으로 계산한 후, 정답을 찾아 ○표 해 보세요.

25 + 34
```
  2 5
+ 3 4
  5 9
```

21 + 43
```
  2 1
+ 4 3
  6 4
```

53 + 5
```
  5 3
+   5
  5 8
```

32 + 31
```
  3 2
+ 3 1
  6 3
```

74 − 33
```
  7 4
- 3 3
  4 1
```

57 − 27
```
  5 7
- 2 7
  3 0
```

73 − 30
```
  7 3
- 3 0
  4 3
```

89 − 27
```
  8 9
- 2 7
  6 2
```

실력을 키워요!

17. 식을 쓴 후, 세 수의 덧셈과 뺄셈을 연속된 세로셈으로 계산해 보세요.

❶ 알렉스 집에 고양이 48마리가 있어요. 월요일에 13마리가 분양되고요, 화요일에는 23마리가 분양될 예정이에요. 알렉스 집에 남는 고양이는 몇 마리인가요?

식: 48 − 13 − 23

```
  4 8      3 5
- 1 3    - 2 3
  3 5      1 2
```
정답: 12마리

❷ 마트에 통조림이 67개 있어요. 목요일에 통조림 41개가 팔렸고, 금요일에는 13개 더 진열됐어요. 마트에 남은 통조림은 몇 개인가요?

식: 67 − 41 + 13

```
  6 7      2 6
- 4 1    + 1 3
  2 6      3 9
```
정답: 39개

❸ 탁자 위에 귤이 34개 있어요. 할머니가 귤을 15개 더 가져다 놓았고, 그중 할아버지가 24개를 가져갔어요. 탁자 위에 남은 귤은 몇 개인가요?

식: 34 + 15 − 24

```
  3 4      4 9
+ 1 5    - 2 4
  4 9      2 5
```
정답: 25개

18. 그림이 들어간 식을 보고 그림의 값을 구해 보세요.

🐹 − 25 − 5 = 🐢   🐹 = 75 ❶
🐞 + 🐰 − 70 = 🐢   🐢 = 45 ❷
3 × 25 = 🐹   🐞 = 100 ❸
🐢 ÷ 3 = 🐰   🐰 = 15 ❹

81쪽 18번

❶ 3×25=🐹, 🐹=75
❷ 🐹-25-5=🐢, 75-25-5=🐢, 🐢=45
❹ 🐢÷3=🐰, 45÷3=🐰, 🐰=15
❸ 🐞+🐰-70=🐢, 🐞+15-70=45, 🐞=45+55, 🐞=100

82-83쪽

실력을 평가해 봐요!

_____월 _____일 _____요일

1. 규칙에 따라 수를 써넣어 보세요.

| 54 | 58 | 62 | **66** | **70** | **74** | **78** | **82** | 86 |

| 92 | 87 | 82 | **77** | **72** | **67** | **62** | **57** | 52 |

2. 계산해 보세요.

28 + 17 + 2 = **47**　　25 + 15 + 32 = **72**　　17 + 37 = **54**

36 + 23 + 4 = **63**　　17 + 46 + 23 = **86**　　49 + 15 = **64**

11 + 34 + 9 = **54**　　24 + 26 + 48 = **98**　　46 + 46 = **92**

3. 식을 보고 빼지는 수(처음 수)를 구한 후 검산도 해 보세요.

52 − 19 = 33

검산: 33 + 19 = **52**

56 − 28 = 28

검산: 28 + 28 = **56**

72 − 45 = 27

검산: 27 + 45 = **72**

4. 계산해 보세요.

56 − 30 − 9 = **17**　　34 − 18 = **16**

43 − 20 − 5 = **18**　　51 − 24 = **27**

62 − 10 − 6 = **46**　　75 − 17 = **58**

82

실력을 평가해 봐요!

5. 세로셈으로 계산해 보세요.

37 + 42
```
  3 7
+ 4 2
  7 9
```

51 + 5
```
  5 1
+   5
  5 6
```

84 − 61
```
  8 4
− 6 1
  2 3
```

67 − 5
```
  6 7
−   5
  6 2
```

6. □ 안에 알맞은 수를 구해 보세요.

```
  4 0
+ 5 6
  9 6
```

```
  5 4
+ 3 1
  8 5
```

```
  6 7
−   6
  6 1
```

```
  7 8
− 4 2
  3 6
```

7. 식을 쓰고 세로셈으로 계산해 보세요.

메이의 수족관에는 물고기가 87마리 있고,
노아의 수족관에는 물고기가 63마리 있어요.
메이의 수족관에 있는 물고기는 노아의
수족관에 있는 물고기보다 몇 마리 더
많은가요?

식 : **87 − 63**

```
  8 7
− 6 3
  2 4
```

정답 : **24마리**

얼마나 잘했나요?

실력이 자란 만큼 별을 색칠하세요.

☆ ☆ ☆

★★★ 정말 잘했어요.
★★☆ 꽤 잘했어요.
★☆☆ 계속 노력할게요.

84-85쪽

TERRARIUM(테라리엄 : 유리병 안에 작은 식물을 재배하는 원예 방법)

단원 평가

① 빈칸에 알맞은 수를 구한 후, 정답에 해당하는 알파벳을 찾아 써넣으세요.

24 + **66** = 90　T
12 + **68** = 80　E
17 + **75** = 92　R
75 − 43 = 32　R
83 − 26 = 57　A
99 − **75** = 24　R
98 − **80** = 18　I
80 − **54** = 26　U
86 − **51** = 35　M

| 51 | 54 | 66 | 68 | 75 | 80 | 83 |
| M | U | T | E | R | I | A |

② 세로셈으로 계산해 보세요.

```
  5 1
+ 3 8
  8 9
```

```
  5 6
− 4 2
  1 4
```

③ 규칙에 따라 수를 써넣어 보세요.

| 62 | **65** | 68 | **71** | 74 | **77** | 80 |
| 89 | **85** | 81 | **77** | 73 | **69** | 65 |

④ 가로와 세로의 합이 79가 되도록 빈칸에 알맞은 수를 구해 보세요.

29		33	28	**18**		28	25		11
21	**23**		39		16		39		31
29	**27**	19		22	20	37		**27**	37

⑤ ★★★ 아래 글을 읽고 강아지의 이름을 알아맞혀 보세요.

프로도　밤비　디에고　스낵　카포

❶ ▪ 카포의 옷에는 줄무늬가 없어요.
❷ ▪ 스낵의 옷에는 모자와 줄무늬가 없어요.
❸ ▪ 디에고의 옷에는 줄무늬가 2개가 아니에요.
❹ ▪ 카포는 스낵 옆에 있어요.
❺ ▪ 밤비의 옷에는 디에고의 옷보다 줄무늬가 2개 더 많아요.
❻ ▪ 프로도의 옷에는 모자가 있어요.

84

85쪽 5번

❷ 스낵의 옷에는 모자와 줄무늬가 없어요.

| | | | | 스낵 | |

❶ 카포의 옷에는 줄무늬가 없어요.

❹ 카포는 스낵 옆에 있어요.

| | | | | 스낵 | 카포 |

❻ 프로도의 옷에는 모자가 있어요.

| 프로도 | | | | 스낵 | 카포 |

❸ 디에고의 옷에는 줄무늬가 2개가 아니에요.

❺ 밤비의 옷에는 디에고의 옷보다 줄무늬가 2개 더 많아요. → 남은 강아지는 2마리, 줄무늬가 1개 있는 게 디에고, 줄무늬가 3개 있는 게 밤비

| 프로도 | 밤비 | 디에고 | 스낵 | 카포 |

23

정답

86-87쪽

도전! 심화 평가   ___월 ___일 ___요일

1. 빈칸에 알맞은 수를 넣어 덧셈 계단을 완성해 보세요.

		58		
	24	34		
	11	13	21	
5	6	7	14	

		65		
	37	28		
	18	19	9	
6	12	7	2	

		72		
	38	34		
21	17	17		
12	9	8	9	

스스로 문제를 만들어 풀어 보세요.

2. 빈칸에 알맞은 수를 구해 보세요.

37 + 26 + __23__ = 86
42 + 29 + __18__ = 89

92 − __41__ − 28 = 23
77 − __25__ − 35 = 17

3. 중앙에 있는 수를 더해서 ○ 안에 써넣어 보세요.

중앙 37
55 +18, 83 +46, 96 +59, 64 +27, 86 +38, 75 +35, 72 +54, 91

4. 빈칸에 알맞은 수를 구해 보세요.

49 + 25 = __38__ + 36
63 + 18 = __27__ + 54
48 + 39 = 27 + __60__
67 + 28 = 39 + __56__
58 + __43__ = 65 + 36
25 + __48__ = 37 + 36
__27__ + 78 = 49 + 56

5. 중앙에 있는 수에서 빼서 ○ 안에 써넣어 보세요.

중앙 94
66 −28, 30 −64, 77 −17, 79 −15, 45 −49, 35, 38 −56, 59 −68, 26

6. 빈칸에 알맞은 수를 구해 보세요.

45 > __92__ − 48 > 43
28 > __83__ − 56 > 26
71 > __99__ − 29 > 69
64 > __81__ − 18 > 62
17 < __75__ − 57 < 19
48 < __92__ − 43 < 50
34 < __84__ − 49 < 36

7. 그림이 들어간 식을 보고 그림의 값을 구해 보세요.

a
   + 6 +   =   = __37__ ❶
   + 4 +   =   = __80__ ❷
   ÷ 4 =   = __20__ ❸
   + 4 +   = 74   = __61__ ❹

b
①   −   = 24   = __29__ ❶
②   +   = 34   = __5__ ❷
   − 24 =   = __53__ ❸

86   87

🐿️ **부모님 가이드 | 87쪽 7번 b**

연립 방정식을 배우지는 않았지만 ①과 ②의 식을 더하면 🐭가 없어지겠구나, 하는 직관으로 푸는 것이 중요합니다. 핀란드에서는 어려운 문제를 모든 학생이 풀게 하는 것이 아니라 문제를 풀 수 있는 학생은 이런 정도의 문제도 풀 수 있고, 못 풀어도 괜찮다, 라고 생각하는 열린 태도를 갖고 학생을 지도합니다. 지금은 못 풀어도 반복하다 보면 직관적으로 사고력이 깊어져서 풀 수 있게 되니 인내심을 가지고 아이를 지켜보세요.

87쪽 7번 a

❶ 🐶 + 🐶 =74, 🐶 =37

❷ 🐶 +6+ 🐶 = 🐶, 37 + 6 + 37 = 🐶, 🐶 =80

❸ 🐶 ÷4= 🐶, 80÷4= 🐶, 🐶 =20

❹ 🐶 + 4 + 🐶 = 🐶, 37 + 4 + 20 = 🐶, 🐶 =61

87쪽 7번 b

①과 ②를 세로셈으로 더하면

🐭 − 🐭 =24
+ 🐭 + 🐭 =34

🐭 + 🐭 =24+34(🐭 는 한 마리씩 더하고 빼면=0)
🐭 + 🐭 =58, 🐭 =29

❷ 🐭 + 🐭 =34, 29+ 🐭 =34, 🐭 =5

❸ 🐭 −24= 🐭, 🐭 −24=29, 🐭 =53

MEMO

24

88-89쪽

10 센티미터

자로 길이를 잴 때는 한쪽 끝을
눈금 0에 맞추어야 해요.
cm는 센티미터라고 읽어요.

1. 자를 이용해서 알파벳의 순서를 따라 선을 그어 보세요. 지도 위에 있는 깃발과
깃발 사이의 길이를 자로 잰 후 빈칸에 써 보세요.

출발 A ─ 9 cm ─ B
H I 도착
3 cm
8 cm
F
5 cm
12 cm
G
7 cm
E
6 cm
D C
4 cm

88

2. 1번에서 나온 길이를 쓴 후 덧셈을 해 보세요.

A + B = 9 cm + 12 cm = 21 cm

C + D + E F = 6 cm + 4 cm + 7 cm = 17 cm

+ + = 5 cm + 8 cm + 3 cm = 16 cm

E D C + = 4 cm + 6 cm + 12 cm = 22 cm

한 번 더 연습해요!

1. 자를 이용해서 수의 순서대로 선을
그어 보세요.

125 123 121 119 117 115 113
101   114
103   116
105   118
107   120
109   122
111   124
112 110 108 106 104 102

2. 계산해 보세요.

54 cm + 7 cm = **61 cm**
64 cm + 7 cm = **71 cm**
76 cm + 8 cm = **84 cm**
86 cm + 8 cm = **94 cm**
15 cm − 9 cm = **6 cm**
45 cm − 9 cm = **36 cm**
13 cm − 8 cm = **5 cm**

89

90-91쪽

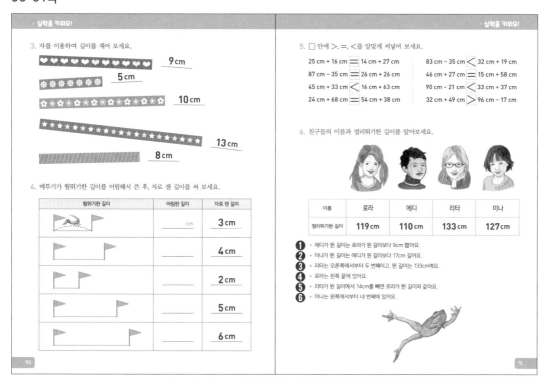

실력을 키워요!

3. 자를 이용하여 길이를 재어 보세요.

9 cm
5 cm
10 cm
13 cm
8 cm

4. 메뚜기가 뛴뛰기한 길이를 어림해서 쓴 후, 자로 잰 길이를 써 보세요.

뛴뛰기한 길이	어림한 길이	자로 잰 길이
	cm	3 cm
		4 cm
		2 cm
		5 cm
		6 cm

90

실력을 키워요!

5. □ 안에 >, =, <를 알맞게 써넣어 보세요.

25 cm + 16 cm = 14 cm + 27 cm   83 cm − 35 cm < 32 cm + 19 cm
87 cm − 35 cm = 26 cm + 26 cm   46 cm + 27 cm > 15 cm + 58 cm
45 cm + 33 cm < 16 cm + 63 cm   90 cm − 21 cm < 33 cm + 37 cm
24 cm + 68 cm = 54 cm + 38 cm   32 cm + 49 cm > 96 cm − 17 cm

6. 친구들의 이름과 멀리뛰기한 길이를 알아보세요.

이름	로라	에디	리타	미나
멀리뛰기한 길이	119 cm	110 cm	133 cm	127 cm

① 에디가 뛴 길이는 로라가 뛴 길이보다 9cm 짧아요.
② 미나가 뛴 길이는 에디가 뛴 길이보다 17cm 길어요.
③ 리타는 오른쪽에서부터 두 번째이고, 뛴 길이는 133cm에요.
④ 로라는 왼쪽 끝에 있어요.
⑤ 리타가 뛴 길이에서 14cm를 빼면 로라가 뛴 길이와 같아요.
⑥ 미나는 왼쪽에서부터 네 번째에 있어요.

91

부모님 가이드 | 88쪽

그림을 보며 아이에게 질문
해 보세요.
- 자에서 0에서 1 사이의 길
이가 얼마나 되니? **1cm**
- 깃발과 깃발 사이의 거리를
측정할 때 시작점을 어디
에 두어야 하니? **0**
- 깃발 사이의 거리를 읽을
때 어떤 숫자를 읽어야 하
니? **오른쪽 깃발이 있는
자의 숫자**
- 깃발 사이의 거리가 얼마
나? **6cm**

91쪽 6번

❸ 리타는 오른쪽에서부터
두 번째이고, 뛴 길이는
133cm에요.

이름			리타	
멀리뛰기한 길이			133cm	

❻ 미나는 왼쪽에서부터
네 번째에 있어요.

이름			리타	미나
멀리뛰기한 길이			133cm	

❹ 로라는 왼쪽 끝에 있어요.

이름	로라	에디	리타	미나
멀리뛰기한 길이			133cm	

❺ 리타가 뛴 길이에서
14cm를 빼면 로라가 뛴
길이와 같아요. →
133−14=119, 로라=119

❶ 에디가 뛴 길이는 로라가
뛴 길이보다 9cm
짧아요. →119−9=110,
에디=110cm

❷ 미나가 뛴 길이는 에디가
뛴 길이보다 17cm
길어요. →110+17=127,
미나=127cm

25

92-93쪽

11 미터

1m = 100cm
1미터는 100센티미터와 같아요.
m는 미터라고 읽어요.

1. 뜀뛰기한 길이를 cm로 나타내 보세요. 뜀뛰기한 길이는 1m에서 얼마만큼 짧은지 cm로 나타내 보세요.

뜀뛰기한 길이는 **20 cm** 입니다. **20 cm** 는 1m보다 **80 cm** 짧습니다.

뜀뛰기한 길이는 **30 cm** 입니다. **30 cm** 는 1m보다 **70 cm** 짧습니다.

뜀뛰기한 길이는 **50 cm** 입니다. **50 cm** 는 1m보다 **50 cm** 짧습니다.

뜀뛰기한 길이는 **70 cm** 입니다. **70 cm** 는 1m보다 **30 cm** 짧습니다.

뜀뛰기한 길이는 **90 cm** 입니다. **90 cm** 는 1m보다 **10 cm** 짧습니다.

2. m를 cm로 나타내 보세요.

2 m = **200 cm**
4 m = **400 cm**
6 m = **600 cm**
8 m = **800 cm**

3. cm를 m로 나타내 보세요.

300 cm = **3 m**
500 cm = **5 m**
700 cm = **7 m**
900 cm = **9 m**

4. 식을 쓴 후 답을 구해 보세요. 정답은 m와 cm 두 가지 방법으로 쓰세요.

① 초록색 테이프의 길이는 170cm예요. 70cm를 잘라 냈다면 남은 초록색 테이프의 길이는 얼마인가요?

식 : **170 cm - 70 cm = 100 cm**

정답 : **100 cm (1m)**

② 노란색 테이프의 길이는 290cm예요. 처음에 60cm를 잘라 내고, 그다음에 30cm를 더 잘라 냈어요. 남은 노란색 테이프의 길이는 얼마인가요?

식 : **290 cm - 60 cm - 30 cm = 200 cm**

정답 : **200 cm (2 m)**

한 번 더 연습해요!

1. 식과 답을 써 보세요.

길이가 100cm(=1m)인 테이프가 있어요. 이 테이프를 30cm 잘라 냈다면 남은 테이프의 길이는 얼마인가요?

식 : **100 cm - 30 cm = 70 cm**

정답 : **70 cm**

2. cm로 나타내 보세요.

1 m = **100 cm**
3 m = **300 cm**

3. m로 나타내 보세요.

200 cm = **2 m**
400 cm = **4 m**

94-95쪽

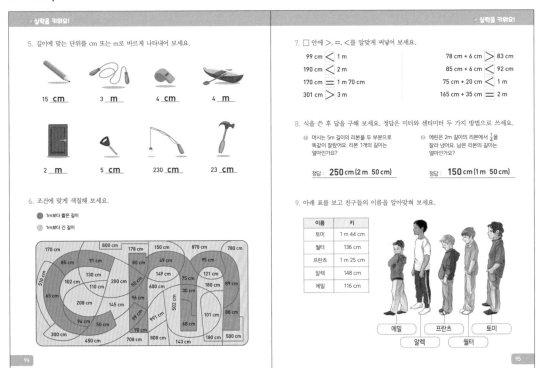

실력을 키워요!

5. 길이에 맞는 단위를 cm 또는 m로 바르게 나타내어 보세요.

15 **cm**
3 **m**
4 **cm**
4 **m**
2 **m**
5 **cm**
230 **cm**
23 **cm**

6. 조건에 맞게 색칠해 보세요.

● 1m보다 짧은 길이
○ 1m보다 긴 길이

실력을 키워요!

7. □ 안에 >, =, <를 알맞게 써넣어 보세요.

99 cm < 1 m
190 cm < 2 m
170 cm = 1 m 70 cm
301 cm > 3 m

78 cm + 6 cm > 83 cm
85 cm + 7 cm = 92 cm
75 cm + 20 cm < 1 m
165 cm + 35 cm = 2 m

8. 식을 쓴 후 답을 구해 보세요. 정답은 미터와 센티미터 두 가지 방법으로 쓰세요.

① 머시는 5m 길이의 리본을 두 부분으로 똑같이 잘랐어요. 리본 1개의 길이는 얼마인가요?

정답 : **250 cm (2m 50cm)**

② 에린은 2m 길이의 리본에서 ¼을 잘라 냈어요. 남은 리본의 길이는 얼마인가요?

정답 : **150 cm (1m 50cm)**

9. 아래 표를 보고 친구들의 이름을 알아맞혀 보세요.

이름	키
토미	1 m 44 cm
월터	136 cm
프란츠	1 m 25 cm
알렉	148 cm
에밀	116 cm

에밀 프란츠 토미
알렉 월터

95쪽 9번

❶ 5m=500cm, 500cm를 반으로 나누면 250cm

❷ 2m=200cm, 200cm를 4부분으로 나누면 50cm임. 200cm-50cm=150cm

95쪽 9번

표에 적힌 키를 순서대로 적은 후 그림과 비교하면 더 쉽게 답을 구할 수 있어요.

96-97쪽

실력을 평가해 봐요!

_____ 월 _____ 일 _____ 요일

1. 계산값이 1m가 나오는 길을 따라가 보세요.

90 cm + 10 cm	90 cm + 5 cm	29 m - 20 m	100 cm + 10 cm	5 m + 2 m
80 cm + 20 cm	5 m + 5 cm	10 m - 8 m	500 cm - 400 cm	6 m - 5 m
70 cm + 30 cm	9 m - 8 m	20 m - 10 m	40 cm + 60 cm	1 m + 9 m
70 cm + 10 cm	5 m - 4 m	10 cm + 90 cm	20 m + 80 cm	2 m + 8 m
80 cm - 10 cm	5 m - 3 m	20 m + 70 cm	100 cm - 10 cm	50 m + 50 m

2. 길이에 맞는 단위를 cm 또는 m로 바르게 나타내 보세요.

120 **cm** 50 **cm** 1 **m** 23 **cm**

10 **cm** 4 **m** 20 **m** 150 **cm**

96

실력을 평가해 봐요!

3. 화살표 위의 수를 순서대로 계산하여 □ 안에 써넣어 보세요.

16 →(+100) **116** →(+10) **126** →(+1) **127** →(+100) **227** →(+10) **237** →(+1) **238**

673 →(-100) **573** →(-10) **563** →(-1) **562** →(-100) **462** →(-10) **452** →(-1) **451**

차근차근 계산해 보렴~!

4. 친구들의 이름을 쓰고, 셔츠에 알맞은 색을 칠해 보세요.

이름	왓슨	페트릭	올리버	헨리
키	134 cm	135 cm	138 cm	142 cm

❶ 왓슨과 페트릭의 키 각 자리 수를 모두 더한 값은 17이에요.
❷ 올리버 키의 일의 자리 수는 왓슨 키의 일의 자리 수의 2배예요.
❸ 헨리 키의 각 자리 수를 모두 더한 값은 가장 작아요.
❹ 빨간색 셔츠를 입은 선수의 키 각 자리 수를 모두 더한 값은 10보다 작은 짝수예요.
❺ 초록색 셔츠를 입은 선수의 키에 18cm를 더하면 160cm예요.
❻ 노란색 셔츠를 입은 선수의 키를 반으로 나눈 값은 69cm예요.
❼ 파란색 셔츠를 입은 선수는 왓슨과 올리버 사이에 있어요.

확실한 조건부터 먼저 찾으렴~!

97

97쪽 4번

❺ 초록색 셔츠를 입은 선수의 키에 18cm를 더하면 160cm예요. → 160-18=142, 142=초록색

이름				
키	134cm	135cm	138cm	142cm
셔츠 색깔				초록색

❻ 노란색 셔츠를 입은 선수의 키를 반으로 나눈 값은 69cm예요. → 69+69=138, 138=노란색

이름				
키	134cm	135cm	138cm	142cm
셔츠 색깔			노란색	초록색

❸ 헨리 키의 각 자리 수를 모두 더한 값은 가장 작아요. → 각 자리 수를 더한 값 중 가장 작은 건 142, 142=헨리(초록색)

이름				헨리
키	134cm	135cm	138cm	142cm
셔츠 색깔			노란색	초록색

❷ 올리버 키의 일의 자리 수는 왓슨 키의 일의 자리 수의 2배예요. → 일의 자리 수가 2배 차이 나는 것은 134와 138이므로 올리버=138, 왓슨=134, 남은 건 135이며 페트릭임.

이름	왓슨	페트릭	올리버	헨리
키	134cm	135cm	138cm	142cm
셔츠 색깔			노란색	초록색

❼ 파란색 셔츠를 입은 선수는 왓슨과 올리버 사이에 있어요. → 페트릭은 파란색, 남은 건 빨간색이며 왓슨임.

이름	왓슨	페트릭	올리버	헨리
키	134cm	135cm	138cm	142cm
셔츠 색깔	빨간색	파란색	노란색	초록색

99쪽

우주 주사위 놀이

인원: 2명 준비물: 주사위, 놀이 말 2개

주사위 눈의 수에 ● 0을 곱해요.
주사위 눈의 수에 ☽ 3을 곱해요.
주사위 눈의 수에 ■ 4를 곱해요.
주사위 눈의 수에 ★ 5를 곱해요.

놀이 방법

1. 순서를 정해 번갈아 가며 주사위를 굴려요. 시작 방향은 선택할 수 있어요.
2. 주사위 눈의 수만큼 말을 옮긴 후, 도착한 곳의 모양을 확인해요.
3. 모양에 해당되는 내용을 읽고, 곱셈식을 쓴 후 결과값을 써요.
4. 결과값을 3개 다 쓰면 그 합을 구해요. 합이 큰 사람이 이겨요.

출발

어떤 모양이 많이 나와야 결과값이 클까?

놀이 1: _____ + _____ + _____ = _____
놀이 2: _____ + _____ + _____ = _____
놀이 3: _____ + _____ + _____ = _____

한 번 더 연습해요!

1. 규칙에 따라 수를 써넣어 보세요.

| 30 | 27 | 24 | **21** | **18** | **15** | **12** | **9** | **6** | **3** | 0 |

| 0 | 4 | 8 | **12** | **16** | **20** | **24** | **28** | **32** | **36** | 40 |

99

101쪽

그래프 놀이

인원: 2명 준비물: 주사위 1개, 색연필, 0~9까지의 수 카드

(그래프: 세로축 0, 10, 20, 30, 40, 50, 60, 70)

놀이 방법

1. 0에서 9까지의 수 카드를 뒤집어서 책상에 펼쳐 놔요.
2. 순서를 정해 주사위를 굴린 다음 수 카드 중 1개를 뒤집어요. 주사위 눈의 십의 자리를 나타내고, 수 카드는 일의 자리를 나타내요.
3. 2번에서 나온 수를 그래프에 색칠해요. 예를 들어 주사위 눈은 3, 수 카드가 9라면 39를 색칠해요.
4. 뽑은 수 카드는 숫자를 확인한 다시 뒤집어 놓고 다른 카드와 함께 섞어요.
5. 번갈아 가며 주사위와 수 카드를 이용해 그래프를 완성해요.
6. 그래프를 완성한 후 덧셈식이나 뺄셈식 문제를 만들어 정답을 확인하며 놀아요.

★ 112쪽 활동지로 한 번 더 놀이해요!

책 뒤에 있는 놀이 카드를 이용하세요.

한 번 더 연습해요!

1. 계산해 보세요.

39 + 28 + 11 = **78**   36 + 26 = **62**   83 - 30 - 4 = **49**
52 + 13 + 17 = **82**   49 + 15 = **64**   71 - 50 - 6 = **15**
24 + 26 + 29 = **79**   55 + 26 = **81**   94 - 20 - 7 = **67**

101

27

103-104쪽

★ 놀이 수학

종이비행기 날리기 (인원: 2명 준비물: A4 종이)

🖊 놀이 방법

① 종이를 세로로 반 접은 다음 다시 펼쳐요.
② 가운데 선을 중심으로 양쪽 끝 부분이 만나도록 접어요.
③ 2번의 모양에서 다시 가운데 선을 중심으로 양쪽 끝 부분이 만나도록 접어요.
④ 접은 부분이 안으로 들어가도록 반으로 접은 다음 그림처럼 양 날개 끝을 바깥으로 접어요.
⑤ 양쪽 날개를 잘 펴요.

종이비행기 날리기 시합을 해 볼까요? 날아간 거리를 재어 보세요.

이름	첫 번째 날린 거리	두 번째 날린 거리	세 번째 날린 거리

🐿 **한 번 더 연습해요!**

1. 식과 답을 써 보세요.

종이비행기를 날렸어요. 첫 번째는 620cm를 날아갔고, 두 번째는 처음보다 300cm 더 짧게 날아갔어요. 두 번째 때 날아간 거리는 얼마인가요?

식 : **620 cm − 300 cm = 320 cm**

정답 : **320 cm**

2. 계산해 보세요.

120 cm + 60 cm = **180 cm**

205 cm + 40 cm = **245 cm**

100 cm − 50 cm = **50 cm**

300 cm − 50 cm = **250 cm**

360 cm + 400 cm = **760 cm**

103 / 104

탐구 과제

그래프

_____월 _____일 _____요일

일주일 동안 읽은 만화책 수

1. 그래프를 보고 답해 보세요.

① 학급의 학생 수는 모두 몇 명인가요? **22명**

② 일주일 동안 읽은 만화책이 2권인 학생은 몇 명인가요? **8명**

③ 일주일 동안 읽은 만화책이 0권인 학생은 몇 명인가요? **5명**

④ 일주일 동안 읽은 만화책이 2권보다 많은 학생은 몇 명인가요? **6명**

⑤ 일주일 동안 읽은 만화책이 1권보다 많은 학생은 몇 명인가요? **14명**

⑥ 일주일 동안 읽은 만화책이 2권보다 적은 학생은 몇 명인가요? **8명**

104쪽

그래프를 표로 정리하면

일주일 동안 읽은 만화책 수	0	1	2	3	합계
학생 수	5	3	8	6	22

108쪽

탐구 과제

_____월 _____일 _____요일

받아 올림이 있는 세로셈

받아 올림한 수를 더하는 걸 잊지 마~!

십의 자리	일의 자리		십의 자리	일의 자리
3	7	+	2	5

① 우선, 일의 자리끼리 더해요.
② 더한 수가 10을 넘는 수는 십의 자리에 1이라고 쓴 후 받아 올림을 해요.
③ 십의 자리 수끼리 더할 때 받아 올림해서 쓴 수까지 더해서 계산해요.

	1	
	3	7
+	2	5
	6	2

1. 세로셈으로 계산해 보세요.

	1	
	2	8
+	2	6
	5	4

	1	
	2	9
+	4	4
	7	3

	1	
	1	8
+	2	8
	4	6

	1	
	3	6
+	4	5
	8	1

	1	
	1	6
+	5	7
	7	3

	1	
	5	7
+	3	8
	9	5

	1	
	1	9
+	1	6
	3	5

	1	
	3	7
+	1	7
	5	4

108

핀란드 2학년 수학 교과서 2-2

정답과 해설

2권

핀란드 수학 세계로
여행을 떠나 볼까요?

정답

8-9쪽

---_월 ___일 ___요일

1 킬로미터

1km = 1000m
1킬로미터는 1000미터와 같아요.
km는 킬로미터라고 읽어요.

1. 엠마의 집에서 학교까지의 거리는 1km예요. 자전거로 간 거리는 얼마이고, 남은 거리는 얼마인지 m로 나타내 보세요.

엠마가 자전거로 간 거리는 **200 m** 이며, 남은 거리는 **800 m** 입니다.

엠마가 자전거로 간 거리는 **400 m** 이며, 남은 거리는 **600 m** 입니다.

엠마가 자전거로 간 거리는 **500 m** 이며, 남은 거리는 **500 m** 입니다.

엠마가 자전거로 간 거리는 **800 m** 이며, 남은 거리는 **200 m** 입니다.

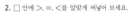

2. □ 안에 >, =, <를 알맞게 써넣어 보세요.

460 m < 500 m
350 m > 300 m
780 m > 770 m
1000 m = 1 km

520 m + 200 m > 620 m
830 m + 160 m < 1000 m
300 m + 700 m = 1 km
760 m + 340 m > 1 km

3. 점과 점 사이의 거리가 100m일 때, 주어진 거리를 구해 보세요.

- 학교에서 공원까지의 거리 **600** m
- 도서관에서 집까지의 거리 **500** m
- 아이스크림 자판기에서 가게까지의 거리 **700** m
- 체육관에서 학교까지의 거리 **800** m
- 집에서 도서관까지 왕복 거리 **1000** m

한 번 더 연습해요!

1. 식을 쓴 후 정답을 구해 보세요.

알렉은 자전거를 타고 950m를 갔다가 이후에 50m를 더 갔어요. 알렉이 자전거를 타고 간 거리는 모두 얼마인가요?

식: 950m + 50m = 1000m

정답: 1000m (1km)

2. □ 안에 >, =, <를 알맞게 써넣어 보세요.

1000 m - 400 m > 500 m
1000 m - 100 m < 1 km
1000 m - 800 m > 100 m
500 m + 490 m < 1 km
200 m + 700 m = 900 m

10-11쪽

★실력을 키워요!

4. 계산값이 1km가 나오는 길을 따라가 보세요.

700 + 300m	800 + 100m	10km - 10km	21km - 20km	200 + 800m
800 + 200m	600 + 400m	10km - 8km	10km - 9km	300 + 800m
500 + 400m	500 + 500m	100m + 900m	1000m + 0m	300 + 600m
100m + 700m	100m + 200m	5km + 5km	10km - 6km	20km - 10km

1000m는 1km와 같아!

5. 왼쪽 그림과 다른 점 10가지를 찾아 오른쪽 그림에 표시해 보세요.

★실력을 키워요!

6. 아래 글을 읽고 문제를 푼 다음 정답을 찾아 ○표 해 보세요.

① 에밀이 자전거로 처음 간 거리는 560m이고, 440m를 더 갔어요. 에밀이 자전거로 간 거리는 모두 얼마인가요?

정답: **1000m (1km)**

② 줄리아가 자전거로 처음 간 거리는 495m이고, 245m를 더 갔어요. 줄리아가 자전거로 간 거리는 모두 얼마인가요?

정답: **740m**

③ 애니는 자전거를 타고 집에서 학교까지 왕복해서 다녀왔어요. 총 900m를 왕복했다면 집에서 학교까지의 거리는 얼마인가요?

정답: **450m**

④ 아놀드는 자전거를 타고 집에서 축구장까지 왕복해서 다녀왔어요. 집에서 축구장까지의 거리가 425m일 때, 왕복한 거리는 얼마인가요?

정답: **850m**

⑤ 헬레나는 자전거로 480m를 가야 해요. 그러나 가야 할 거리의 ¼만큼만 자전거를 탔다면 남은 거리는 얼마인가요?

정답: **360m**

⑥ 에이브는 자전거로 990m를 가야 해요. 그러나 가야 할 거리의 ⅓만큼만 자전거를 탔다면 남은 거리는 얼마인가요?

정답: **660m**

360 m 450 m 535 m 660 m 740 m 850 m 1000 m

7. 그림이 들어간 식을 보고 그림의 값을 구해 보세요.

● + ▲ = 1 km
▲ - ■ = 350 m
♥ - ● = 300 m
♥ + ♥ = 970 m

♥ = 485m ①
● = 185m ②
▲ = 815m ③
■ = 465m ④

부모님 가이드 | 8쪽

그림을 보며 아이에게 질문 해 보세요.

- 표지판에 뭐라고 쓰여 있 니? **공원까지 거리가 400m**
- m은 어떻게 읽니? **미터**
- 1킬로미터는 몇 미터와 같 니? **1000m**
- 킬로미터를 기호로 어떻게 쓰니? **km**
- 여자아이네 집에서 공원까 지 거리가 1km라면 자전거 를 타고 얼마만큼 온 거니? **600m**

부모님 가이드 | 10쪽 5번

얼핏 보면 똑같아 보이지만 좌우 그림을 관찰하면 약간 씩 다른 곳을 발견할 수 있습 니다. 다른그림찾기 놀이를 통해 관찰력, 기억력, 집중력, 인내심을 키울 수 있습니다. 방학으로 집에 있는 시간이 길어져 심심할 때나 자투리 시간을 이용해 숨은그림찾기, 미로찾기, 다른그림찾기 등의 퍼즐 놀이를 해 보세요.

11쪽 6번

❶ 560+440=1000

❷ 495+245=740

❸ 900÷2=450

❹ 425+425=850

❺ 480을 4부분으로 나누면 120임. 480-120=360

❻ 990을 3부분으로 나누면 330임. 990-330=660

11쪽 7번

❶ ♥+♥=970, ♥=485m

❷ ♥-●=300, 485-●=300, ●=185m

❸ ●+▲=1km, 185+▲=1000 (1km=1000m), ▲=815m

❹ ▲-■=350, 815-■=350, ■=465m

12-13쪽

8. 그림이 들어간 식을 보고 그림의 값을 구해 보세요.

⬤—⬤ + ⬤—⬤ = 1000	⬤—⬤ = __500__	❶
⬤—⬤ − 🔔 = 100	🔔 = __400__	❷
🔔 = 🔔 + 🔔	🔔 = __200__	❸
700 = ⊙ + 🔔	⊙ = __300__	❹

9. 주어진 수를 작은 수부터 순서대로 쓴 다음, 주어진 수의 알파벳을 □ 안에 써넣어 보세요.

333 T	320 E	383 L	389 E	302 K	323 T
302	320	323	333	383	389
K	**E**	**T**	**T**	**L**	**E**

686 E	698 L	696 L	668 B
668	686	696	698
B	**E**	**L**	**L**

792 R	720 O	1000 T	702 W	940 O	904 K	944 U
702	720	792	904	940	944	1000
W	**O**	**R**	**K**	**O**	**U**	**T**

12

10. 빈칸에 알맞은 수를 구해 보세요.

150 + 30 = 110 + __70__   195 + **395** = 560 + 30
120 + 70 = __40__ + 150   490 − **105** = 400 − 15
170 − 20 = 190 − __40__   **195** + 125 = 520 − 200
360 − 50 = __320__ − 10   **715** − 400 = 620 − 305

11. 그림을 보고 가장 무거운 것에 빨간색을, 가장 가벼운 것에 노란색을 칠해 보세요.

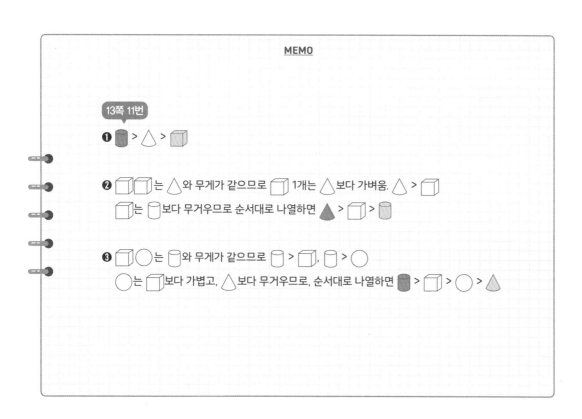

13

12쪽 8번

❶ ⬤—⬤ + ⬤—⬤ =1000,
   ⬤—⬤ =500

❷ ⬤—⬤ − 🔔 =100,
   500− 🔔 =100, 🔔 =400

❸ 🔔 = 🔔 + 🔔 ,
   400= 🔔 + 🔔 =200

❹ 700= ⊙ + 🔔 ,
   700= ⊙ +400,
   ⊙ =300

12쪽 9번

KETTLE BELL WORKOUT
케틀벨(근육 운동을 하는 데
쓰는 운동 기구) 운동

MEMO

13쪽 11번

❶ 🔵 > △ > 🔲

❷ 🔲🔲 는 △ 와 무게가 같으므로 🔲 1개는 △ 보다 가벼움. △ > 🔲
   🔲 는 🔵 보다 무거우므로 순서대로 나열하면 ▲ > 🔲 > 🔵

❸ 🔲◯ 는 🔵 와 무게가 같으므로 🔵 > 🔲 , 🔵 > ◯
   ◯ 는 🔲 보다 가볍고, △ 보다 무거우므로, 순서대로 나열하면 🔵 > 🔲 > ◯ > △

정답

14-15쪽

2 킬로그램과 그램

1kg=1000g
1킬로그램은 1000g과 같아요.
kg은 킬로그램, g은 그램이라고 읽어요.

1. 물건의 무게가 얼마인지 써 보세요.

초콜릿 1개의 무게 : **200g**

과자 1봉지의 무게 : **650g**

요거트 1개의 무게 : **250g**

밀가루 1봉지의 무게 : **1000g (1kg)**

2. 계산한 후 정답을 찾아 ○표 해 보세요.

310 g + 500 g = **810g**　　690 g - 100 g = **590g**
300 g + 100 g = **400g**　　780 g - 300 g = **480g**
400 g + 600 g = **1000g**　　1000 g - 200 g = **800g**

400 g　480 g　490 g　590 g　800 g　810 g　1000 g

3. 더해서 1kg이 되는 무게에 ○표 해 보세요.

100 g □　300 g ○　800 g □　700 g ○　　50 g □　50 g □　750 g □　900 g ○

100 g □　200 g □　600 g ○　800 g □　　100 g □　200 g □　700 g ○　850 g □

200 g □　300 g □　400 g ○　600 g □　　250 g □　300 g □　450 g □　450 g ○

100 g ○　300 g □　500 g □　900 g □　　50 g □　450 g □　500 g ○　600 g □

🐴 한 번 더 연습해요!

1. 식을 쓴 후 정답을 구해 보세요.

요거트 한 컵의 무게는 총 800g이에요. 엠마가 200g을 먹고, 엄마가 300g을 먹었어요. 컵에 남은 요거트의 양은 얼마인가요?

식 : **800 g - 200 g - 300 g = 300g**

정답 : **300 g**

2. 계산해 보세요.

300 g + 40 g = **340g**
240 g + 50 g = **290g**
360 g + 400 g = **760g**
870 g - 50 g = **820g**
910 g - 500 g = **410g**

🐿️ **부모님 가이드 | 14쪽**

그림을 보며 아이에게 질문해 보세요.

– 소녀가 들고 있는 케틀벨에 뭐라고 쓰여 있니? **1000g**

– g는 어떤 글자를 줄여 쓴 거니? **gram**

– 벤치에 있는 케틀벨에는 뭐라고 쓰여 있니? **1kg**

– kg는 어떤 글자를 줄여 쓴 거니? **kilogram**

– 1000g은 1kg과 무게가 같음을 아이에게 알려 주세요.

16-17쪽

★ 실력을 키워요!

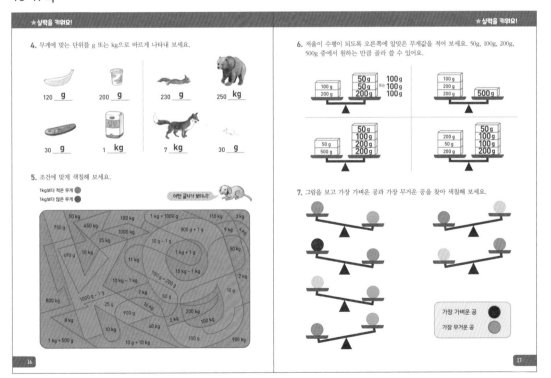

4. 무게에 맞는 단위를 g 또는 kg으로 바르게 나타내 보세요.

120 __g__　　200 __g__　　230 __g__　　250 __kg__

30 __g__　　1 __kg__　　7 __kg__　　30 __g__

5. 조건에 맞게 색칠해 보세요.

1kg보다 적은 무게 ●
1kg보다 많은 무게 ●

어떤 글자가 보이나요?

50 kg　100 kg　1 kg + 1000 g　110 kg　3 kg
750 g　450 kg　1000 kg　800 g + 1 g　9 kg　4 kg
690 g　10 kg　25 kg　10 g - 1 g　50 kg
11 kg　1 kg + 1 g
10 kg - 1 kg　700 g + 200 g　1 g
800 kg　1000 g - 1 g　7 kg　50 g　2 kg
25 g　900 g　2 kg　200 g
8 kg　10 kg　40 kg　100 kg
1 kg + 500 g　10 g + 10 kg　100 g　900 kg

★ 실력을 키워요!

6. 저울이 수평이 되도록 오른쪽에 알맞은 무게값을 적어 보세요. 50g, 100g, 200g, 500g 중에서 원하는 만큼 골라 쓸 수 있어요.

7. 그림을 보고 가장 가벼운 공과 가장 무거운 공을 찾아 색칠해 보세요.

가장 가벼운 공 ●
가장 무거운 공 ●

17쪽 7번

1. 초록 공이 많이 나오므로 초록 공을 먼저 살펴본다. 초록 공보다 무거운 것은 빨강 공, 가벼운 것은 노랑 공과 파랑 공임.

2. 노랑 공은 파랑 공보다 무거우므로 정리하면

3. 파랑 공보다 가벼운 것은 검정 공이므로 순서대로 나열하면

18-19쪽

8. 3개의 수를 골라 주어진 수를 만들어 보세요.

500
150 (60) (200)
50 (240)

(30) (300) 190
(170) 150

220 (40)
(100) (360)
80 260

1000
400 (440) (100)
180 (460)

250 450 (500)
(110) 390

(430) (650)
300 (120) 230

9. 규칙을 알아내어 주어진 수에 해당하는 알파벳 값을 써 보세요.

567 574 R 588 O 602 W 616 623 Y F 644 T 658 U 672 679 686 A 700

T	U	G	O	F	W	A	R
651	665	630	595	637	609	693	581

10. 계산한 후 정답을 찾아 ○표 해 보세요.

```
  1 5 3        2 0 4        3 7 0
+ 1 2 0      +   8 1      + 2 2 1
  2 7 3        2 8 5        5 9 1

  6 8 0        6 0 8        7 4 1
- 4 5 0      - 6 0 3      -   4 0
  2 3 0            5        7 0 1
```

(40) (81) (120) 123 (221) (450) (603)

11. 로봇의 작동 원리를 알아낸 후, 알맞은 수를 구해 보세요.

259 | 379
736 | 856
394 | +120 | 514
867 | 987
690 | 810
189 | 309

467 | 362
595 | 490
700 | -105 | 595
850 | 745
892 | 787
903 | 798

왼쪽과 오른쪽 수의 관계를 잘 살펴보렴!

(18)　　　　　　　　　　　　　　　　　　　　　　(19)

18쪽 9번

TUG OF WAR
줄다리기

20-21쪽

3 리터와 데시리터

　　　　　　　　　　월　　일　요일

1ℓ = 10dl
1리터는 10데시리터와 같아요.
ℓ는 리터, dl는 데시리터라고 읽어요.

1. 1ℓ가 되려면 필요한 양을 색칠한 후 빈칸에 써 보세요.

4 dl + __6 dl__ = 1 ℓ　　7 dl + __3 dl__ = 1 ℓ　　2 dl + __8 dl__ = 1 ℓ

3 dl + __7 dl__ = 1 ℓ　　6 dl + __4 dl__ = 1 ℓ　　5 dl + __5 dl__ = 1 ℓ

2. 1ℓ가 되려면 필요한 양을 빈칸에 써 보세요.

5 dl + 2 dl __3 dl__ = 1 ℓ
7 dl + 1 dl __2 dl__ = 1 ℓ
4 dl + __2 dl__ + 4 dl = 1 ℓ
8 dl + __1 dl__ + 1 dl = 1 ℓ

2 dl + __6 dl__ + 2 dl = 1 ℓ
1 dl + __5 dl__ + 4 dl = 1 ℓ
__4 dl__ + 3 dl + 3 dl = 1 ℓ
__7 dl__ + 2 dl + 1 dl = 1 ℓ

3. 주어진 컵에 주스를 따르면 남는 양은 얼마인지 식과 답을 구해 보세요.

10 dl - 1 dl - 1 dl = 8 dl　　10 dl - 3 dl - 2 dl = 5 dl

10 dl - 3 dl - 3 dl = 4 dl　　10 dl - 3 dl - 1 dl = 6 dl

4. 계산해 보세요.

1 ℓ - 1 dl = __9 dl__　　1 ℓ - 4 dl - 1 dl = __5 dl__
1 ℓ - 5 dl = __5 dl__　　1 ℓ - 6 dl - 2 dl = __2 dl__
1 ℓ - 9 dl = __1 dl__　　1 ℓ - 5 dl - 4 dl = __1 dl__
1 ℓ - 4 dl = __6 dl__　　1 ℓ - 3 dl - 3 dl = __4 dl__

1 ℓ = 10 dl

한 번 더 연습해요!

1. 계산해 보세요.
2 dl + 7 dl = __9 dl__
5 dl + 3 dl = __8 dl__
1 ℓ - 8 dl = __2 dl__

2. 계산해 보세요.
2 dl + 3 dl + 2 dl = __7 dl__
1 ℓ - 4 dl - 5 dl = __1 dl__
1 ℓ - 2 dl - 8 dl = __0 dl__

(20)　　　　　　　　　　　　　　　　　　　　　　(21)

부모님 가이드 | 20쪽

그림을 보며 아이에게 질문해 보세요.
- 큰 주스 병에 뭐라고 쓰여 있니? 1ℓ
- ℓ는 어떤 글자를 줄여 쓴 거니? litre
- 컵에는 뭐라고 쓰여 있니? 1dl
- dl는 어떤 글자를 줄여 쓴 거니? decilitre
- 1ℓ의 주스를 1dl 컵에 따르면 몇 컵이 나오니? 10컵

22-23쪽

★ 실력을 키워요!

5. 부피에 맞는 단위를 dl 또는 l로 바르게 나타내 보세요.

10 **l**   190 **l**   2 **dl**   5 **dl**

1 **dl**   3 **l**   1000 **l**   2 **dl**

6. 아래 글을 읽고 정답을 구해 보세요.

❶ 물병에 물이 1l 있어요. 물을 4dl만큼 컵에 따랐다면 물병에 남은 물의 양은 얼마인가요?

정답 **6 dl**

❷ 물병에 물이 1l 있어요. 물을 8dl만큼 컵에 따랐다면 물병에 남은 물의 양은 얼마인가요?

정답 **2 dl**

❸ 물병에 물이 1l 있어요. 물을 2dl만큼 컵에 따른 후, 또 다른 컵에 3dl만큼 더 따랐다면 물병에 남은 물의 양은 얼마인가요?

정답 **5 dl**

❹ 물병에 물이 1l 있어요. 물을 3dl만큼 컵에 따른 후, 또 다른 컵에 6dl만큼 더 따랐다면 물병에 남은 물의 양은 얼마인가요?

정답 **1 dl**

❺ 사과 주스를 1l 만들어야 해요. 먼저 사과 주스를 1dl만큼 만들었어요. 더 만들 주스의 양은 얼마인가요?

정답 **9 dl**

❻ 포도 주스를 1l 만들어야 해요. 먼저 포도 주스를 3dl만큼 만들었어요. 더 만들 주스의 양은 얼마인가요?

정답 **7 dl**

★ 실력을 키워요!

7. 주스의 양을 계산한 후, 양을 비교하여 >, =, <를 알맞게 써넣어 보세요.

11 dl **=** **11** dl   **15** dl **>** **12** dl

13 dl **<** **15** dl   **19** dl **<** **25** dl

8. □ 안에 >, =, <를 알맞게 써넣어 보세요.

❶ 6 × 2 dl + 8 dl **=** 4 × 4 dl + 4 dl

❷ 7 × 4 dl + 13 dl **>** 4 × 6 dl + 16 dl

❸ 6 × 5 dl − 15 dl **=** 5 × 5 dl − 10 dl

❹ 9 × 4 dl − 15 dl **<** 5 × 7 dl − 13 dl

9. 아래 글을 읽고 정답을 구해 보세요.

❶ 주스가 2l 필요해요. 5dl짜리 주스 몇 병이 필요한가요?

정답 **4병**

❷ 물 1l와 크림 2l를 그릇에 넣고 섞었어요. 여기에 우유를 2l 부어 소스를 만든다고 할 때, 필요한 우유의 양은 얼마인가요?

정답 **17 dl (1l 7dl)**

❸ 할아버지가 10l짜리 양동이에 물을 5dl만큼 부었어요. 양동이를 가득 채우려면 물이 얼마나 더 필요한가요?

정답 **9l 5 dl (95dl)**

22   23

23쪽 8번

곱셈을 먼저 구한 후 덧셈을 해요.

❶ 20dl = 20dl   ❸ 15dl = 15dl
❷ 41dl > 40dl   ❹ 21dl < 22dl

23쪽 9번

❶ 5dl × □ = 20dl(2l), □ = 4

❷ 1dl + 2dl + □ = 20dl(2l), □ = 17dl(1l 7dl)

❸ 5dl + □ = 100dl(10l), □ = 95dl(9l 5dl)

24-25쪽

실력을 평가해 봐요!

_____ 월 _____ 일 _____ 요일

1. 주어진 조건에 맞게 색칠해 보세요.

1m   1km

2. 더해서 1kg이 되는 무게를 골라 ○표 해 보세요.

600 g   800 g   100 g   300 g   400 g   450 g   250 g   300 g

500 g   600 g   200 g   300 g   500 g   600 g   50 g   450 g

★ 실력을 평가해 봐요!

3. 계산해 보세요.

7 dl + 2 dl = **9 dl**
4 dl + 4 dl = **8 dl**
5 dl + 5 dl = **10 dl (1l)**
3 dl + 6 dl = **9 dl**

1 l − 3 dl = **7 dl**
1 l − 6 dl = **4 dl**
1 l − 2 dl − 1 dl = **7 dl**
1 l − 4 dl − 5 dl = **1 dl**

4. 빈칸에 알맞은 값을 구해 보세요.

3 dl + 3 dl + **4** dl = 1 l
1 dl + 5 dl + 4 dl = 1 l
2 dl + **6** dl + 2 dl = 1 l
5 dl + 2 dl + 3 dl = 1 l

5. 아래 글을 읽고 정답을 구해 보세요.

❶ 50cm 길이의 노란 리본이 있어요. 20cm를 잘라내면 남은 리본의 길이는 얼마인가요?

정답 **30 cm**

❷ 시리얼 통에 시리얼이 700g 있어요. 아침에 시리얼을 300g 먹었다면 남은 시리얼의 무게는 얼마인가요?

정답 **400g**

❸ 주스가 1l 필요해요. 2dl가 들어 있는 주스 몇 병이 필요한가요?

정답 **5병**

24

얼마나 잘했나요?

실력이 자란 만큼 별을 색칠하세요.

☆☆☆

★★★ 정말 잘했어요.
★★☆ 꽤 잘했어요.
★☆☆ 계속 노력할게요.

25쪽 5번

❶ 50cm − 20cm = 30cm

❷ 700g − 300g = 400g

❸ 2dl × □ = 10dl(1l), □ = 5

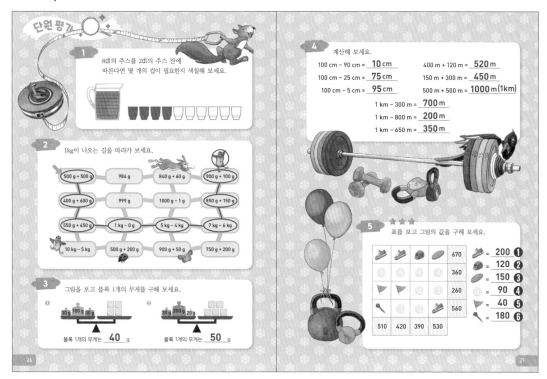

26쪽 3번

❶ 160g = ⬜⬜⬜⬜ 이므로

160을 4개로 나누면 40g, ⬜ = 40g

❷ 250g = ⬜⬜⬜⬜⬜ 이므로

250을 5개로 나누면 50g, ⬜ = 50g

27쪽 5번

❹ 가로 두 번째, 🎾+🎾+🎾+🎾=360, 🎾=90

❺ 가로 세 번째, ⚑+⚑+🎾+🎾=260,

⚑+⚑+90+90=260, ⚑+⚑=80, ⚑=40

❷ 세로 세 번째, 🪖+🎾+🎾+🎾=390,

🪖+90+90+90=390, 🪖=120

❶ 세로 두 번째, 👟+🎾+⚑+🎾=420,

👟+90+40+90=420, 👟=200

❻ 가로 네 번째, 🔨+🎾+🎾+👟=560,

🔨+90+90+200=560, 🔨=180

❸ 세로 네 번째, 🥜+🎾+🎾+👟=530,

🥜+90+90+200=530, 🥜=150

MEMO

28-29쪽

도전! 심화 평가

_____월 _____일 _____요일

1. 길이를 더한 합이 1km가 되도록 이어 보세요.

400 m	100 m	50 m
50 m	900 m	400 m
150 m	300 m	150 m
300 m	700 m	500 m

1 km

2. 길이를 더한 합이 2km가 되도록 이어 보세요.

1 km 200 m	1050 m	800 m
1350 m	400 m	300 m
800 m	600 m	200 m
450 m	350 m	500 m

2 km

3. 규칙을 알아내어 빈칸에 알맞은 수를 구해 보세요.

A	C	E	H	I	L	M	N
0	10	30	**60**	**100**	150	**210**	280

O	Q	R	S	T	U	'	!
360	**450**	550	**660**	**780**	**910**	1050	1200

150은 L을 써야 해~!

수에 해당하는 알파벳을 써넣어 암호를 풀어 보세요.

150	30	780	1050	660		10	360	280	450	910	30	550
L	E	T	'	S		C	O	N	Q	U	E	R

780	60	30		210	360	910	280	780	0	100	280	1200
T	H	E		M	O	U	N	T	A	I	N	!

★ 도전! 심화 평가

4. 식이 맞으면 ○, 틀리면 X라고 써넣어 보세요.

❶ 14 l 7 dl + 9 l 8 dl > 25 l **X**
❷ 27 l 9 dl + 8 l 5 dl > 36 l **○**
❸ 35 l 6 dl + 7 l 6 dl < 44 l **○**
❹ 30 l − 17 l 8 dl < 12 l 6 dl **○**
❺ 23 l − 15 l 5 dl < 6 l 5 dl **X**
❻ 56 l − 19 l 7 dl > 37 l 7 dl **X**

5. 빈칸에 들어갈 알맞은 수를 구해 보세요.

480 g + **250** g = 730 g   850 m − **65** m = 785 m
370 g + **80** g = 450 g   659 m − **110** m = 549 m
828 g + **122** g = 950 g   437 m − **287** m = 150 m
604 g + **396** g = 1000 g   1000 m − **361** m = 639 m

6. 아래 글을 읽고 정답을 구해 보세요.

① 조엘은 애니보다 2cm가 작아요. 애니는 요나보다 2cm가 작아요. 세 아이의 키를 모두 더하면 390cm예요. 조엘의 키는 얼마인가요?

정답 : **128** cm

② 개미가 3m를 갈 동안 무당벌레는 4m를 갈 수 있어요. 개미가 18m를 갔다면 무당벌레가 간 거리는 얼마인가요?

정답 : **24** m

③ 토미는 에이미보다 8cm가 크고 샘보다 5cm 작아요. 빅터는 샘보다 16cm 더 작지만, 마이클보다 6cm가 더 커요. 에이미의 키가 128cm일 때 각 친구들의 키를 표에 써넣어 보세요.

이름	토미	에이미	샘	빅터	마이클
키	**136** cm	**128** cm	**141** cm	**125** cm	**119** cm

28쪽 1번

1km는 1000m, 2km는 2000m로 바꿔서 길이의 합을 구해 보세요.

28쪽 3번

옆으로 한 칸씩 옮길 때마다 그 전 수에 10, 20, 30, 40, 50…씩 더해요.
LET'S CONQUER THE MOUNTAIN! 산을 정복하자!

29쪽 4번

10l는 100dl와 같음을 아이에게 알려 주세요.
❶ 24l 5dl < 25l
❷ 36l 4dl > 36l
❸ 43l 2dl < 44l
❹ 12l 2dl < 12l 6dl
❺ 7l 5dl > 6l 5dl
❻ 36l 3dl < 37l 7dl

MEMO

29쪽 6번

❶ 조엘은 애니보다 2cm가 작아요. 애니는 요나보다 2cm가 작아요. 세 아이의 키를 모두 더하면 390cm예요. 조엘의 키는 얼마인가요?	3명의 키를 더한 값에서 중간 키의 값을 구하려면 3으로 나누면 되므로 390÷3=130cm임. 키의 순서는 조엘 < 애니 < 요나 순이고 애니는 130cm이므로 조엘은 130−2=128cm, 요나는 130+2=132cm임. 128+130+132=390
❷ 개미가 3m를 갈 동안 무당벌레는 4m를 갈 수 있어요. 개미가 18m를 갔다면 무당벌레가 간 거리는 얼마인가요?	3m와 18m의 관계는 6배이므로 4에 6배를 하면 24임.
❸ 토미는 에이미보다 8cm가 크고 샘보다 5cm 작아요. 빅터는 샘보다 16cm 더 작지만, 마이클보다 6cm가 더 커요. 에이미의 키가 128cm일 때 각 친구들의 키를 표에 써넣어 보세요.	토미의 키=128+8=136 샘의 키=136+5=141 빅터의 키=141−16=125 마이클의 키=125−6=119

30-31쪽

4 몇 시 30분

긴바늘(분침)
짧은바늘(시침)

9시

9시 30분
=9시 반

긴바늘이 정확하게 12를 가리키면 정각을 나타내요.
1시간 = 60분

긴바늘이 정확하게 6을 가리키면 30분을 나타내요.
1시간의 반 = 30분

1. 몇 시인가요?

2 시　　**5** 시　　**12** 시 **30** 분　　**3** 시 **30** 분

6 시　　**8** 시　　**4** 시 **30** 분　　**6** 시 **30** 분

10 시　　**11** 시　　**8** 시 **30** 분　　**11** 시 **30** 분

2. 시각에 맞게 시곗바늘을 그려 넣어 보세요.

5시　5시 30분　6시　6시 30분　7시

12시 30분　1시　1시 30분　2시　2시 30분

3. 시각에 맞게 시곗바늘을 그려 넣어 보세요.

7시 30분　8시　8시 30분　9시

알렉은 일어나요.　알렉은 아침을 먹어요.　알렉은 밖으로 나가요.　알렉은 반려견과 산책해요.

한 번 더 연습해요!

1. 몇 시인가요?

11 시　　**11** 시 **30** 분

2. 계산해 보세요.

23 + 4 = **27**
46 + 2 = **48**
71 + 5 = **76**
28 + 3 = **31**

🐿️ **부모님 가이드 | 30쪽**

그림을 보며 아이에게 질문해 보세요.
- 왼쪽 시계는 몇 시를 가리키고 있니? **9시**
- 왼쪽 시계에서 긴바늘의 방향은 어디를 가리키고 있니? **12**
- 오른쪽 시계는 몇 시를 가리키고 있니? **9시 30분(또는 9시 반)**
- 오른쪽 시계에서 긴바늘의 방향은 어디를 가리키고 있니? **6**
- 9시에서 9시 30분이 되려면 시간이 얼마나 흐른 거니? **30분(또는 한 시간의 반)**
- 한 시간은 몇 분이니? **60분**

32-33쪽

★실력을 키워요!

4. 몇 시인가요?

9시　9시 30분　10시

2시 30분　3시　3시 30분

8시　10시 30분　12시

5. 30분씩 늘어나는 시각이 나오는 길을 따라가 보세요.

출발

새가 만난 동물은 누구인가요? ＿＿＿개

★실력을 키워요!

6. 계산한 후 정답을 찾아 ○표 해 보세요.

15 + 45 = **60**　　60 - 10 = **50**
10 + 25 = **35**　　50 - 25 = **25**
35 + 10 = **45**　　30 - 25 = **5**
40 + 15 = **55**　　60 - 45 = **15**

5 15 25 35 40 45 50 55 60

7. 규칙에 따라 빈칸에 알맞은 시곗바늘을 그려 보세요.

8. 알렉과 엠마의 시계를 찾아 바르게 이어 보세요.

알렉의 시계
• 전자시계는 아니에요.
• 시계가 둥근 모양이에요.
• 정각을 가리키고 있어요.

엠마의 시계
• 시계가 둥근 모양이에요.
• 정각이 아니에요.
• 알렉의 시계보다 30분 전을 가리키고 있어요.

33쪽 7번
- 1시부터 시작, 30분씩 늘어나는 규칙
- 10시 30분부터 시작, 1시간 30분씩 늘어나는 규칙

33쪽 8번

알렉의 시계
- 정각을 가리키는 시계는 초록색과 파란색 시계, 두 시계 중 전자시계가 아니면서 둥근 모양은 파란색 시계임.

엠마의 시계
- 알렉의 시계가 3시이므로 30분 전은 2시 30분임. 첫 번째 빨간색 시계가 정답임.

34-35쪽

5 곱셈

월 ___ 일 ___ 요일

1. 시계는 5씩 늘어나는 5단과 같아요. 5씩 뛰어 세며 □ 안을 채워 보세요.

55 60 5
50 10
45 15
40 20
35 30 25

2. 그림을 보고 식을 쓴 후 답을 구해 보세요.

500원×4=**2000**원

500원×6=**3000**원

1000원×4=**4000**원

1000원×7=**7000**원

500원×2+100원=**1100**원

1000원×4+500원=**4500**원

3. 규칙에 따라 수를 써넣어 보세요.

0 – 5 – 10 – **15** – **20** – **25** – **30** – **35** – **40** – **45** – 50

60 – 55 – 50 – **45** – **40** – **35** – **30** – **25** – **20** – **15** – 10

0 – 10 – 20 – **30** – **40** – **50** – **60** – **70** – **80** – **90** – 100

100 – 95 – 90 – **85** – **80** – **75** – **70** – **65** – **60** – **55** – 50

4. 계산해 보세요.

5 × 3 = **15**　　10 × 4 = **40**　　5 × **4** = 20
5 × 5 = **25**　　10 × 0 = **0**　　5 × **9** = 45
5 × 7 = **35**　　10 × 7 = **70**　　10 × **8** = 80

한 번 더 연습해요!

1. 식을 쓴 후 정답을 구해 보세요.

500원×4=**2000**원

1000원×3+500원=**3500**원

2. 계산해 보세요.

5 × 2 = **10**
5 × 0 = **0**
5 × 6 = **30**
5 × 10 = **50**
10 × 2 = **20**
10 × 5 = **50**

34　　35

36-37쪽

★ 실력을 키워요!

5. 곱셈식을 완성해 보세요.

×	2	5	10
1	2	5	10
2	4	10	20
5	10	25	50
10	20	50	100

6. 계산값에 맞게 색칠해 보세요.

6　12　14　15○　16　35　40●

2×10-5
2×2+2
2×2+2

5×3
4×2+7
10×2-4

5×8
1×2+4
7×2

4×10
7×2
3×2

3×5　9×2-3
4×5-3
5×3　2×5+5

2×2+6
2×6
2×2
5×3

5×2+2
2×2
4×2+4

3×5
5×6+1

★ 실력을 키워요!

7. □ 안에 >, =, <를 알맞게 써넣어 보세요.

15 **>** 2 × 7　　5 × 6 **<** 35　　10 × 2 **<** 17 + 5
18 **=** 9 × 2　　5 × 8 **>** 30　　6 × 5 **=** 26 + 4
14 **>** 6 × 2　　7 × 5 **<** 40　　4 × 5 **=** 30 - 10
20 **>** 8 × 2　　9 × 5 **=** 45　　9 × 2 **=** 28 - 10

8. 빈칸에 알맞은 수를 구한 후, 정답을 찾아 ○표 해 보세요.

2 × 8 + **8** = 24　　5 × **6** + 7 = 37　　5 × **3** + 10 = 25
9 × 2 + **4** = 22　　5 × **5** + 5 = 30　　9 × **10** + 10 = 100
2 × 6 - **9** = 44　　5 × **7** + 9 = 44　　5 × **2** - 10 = 0

① ② ③ ④ ⑤ ⑥ ⑦ ⑧ ⑨ ⑩

9. 아래 글을 읽고 책의 주인을 알아맞혀 보세요.

❶ • 시에나의 책 번호는 2, 5, 10단에 나오는 수와 같아요.
❷ • 로라의 책 번호는 2단에 나오는 수와 같아요.
❸ • 토니의 책 번호는 5단에 나오는 수와 같아요.
❹ • 마벨의 책 번호에서 4를 뺀 값은 5단에 나오는 수와 같아요.
❺ • 헨리의 책 번호에 4를 더하면 2단과 10단에 나오는 수와 같아요.
❻ • 콜린의 책 번호에 3을 더하면 2단과 10단에 나오는 수와 같아요.

65　46　32　57　60　49

토니　헨리　로라　콜린　시에나　마벨

36　　37

38

6 몇 시 몇 분

____ 월 ____ 일 ____ 요일

정각
5분
10분
15분
20분
25분
30분

11시 20분입니다.

1. 몇 시인가요?

10 시 정각   10 시 5 분   4 시 정각   4 시 5 분

10 시 10 분   10 시 15 분   4 시 10 분   4 시 15 분

10 시 20 분   10 시 25 분   4 시 20 분   4 시 25 분

2. 시각에 맞게 시곗바늘을 그려 넣어 보세요.

10시 5분   11시 20분   6시 15분   8시

2시 25분   4시 15분   5시   9시 5분

3. 시각에 맞게 시곗바늘을 그려 넣어 보세요.

2시 5분   2시 15분   2시 25분   3시 15분

알렉은 집에 와요.   알렉은 책을 읽어요.   알렉은 간식을 먹어요.   알렉은 스케이트를 타러 가요.

한 번 더 연습해요!

1. 몇 시인가요?

1 시   5 시 10 분   9 시 20 분

2. 계산해 보세요.

$5 \times 5 + 2 = $ **27**
$3 \times 5 + 3 = $ **18**
$8 \times 5 + 5 = $ **45**
$4 \times 5 + 7 = $ **27**

부모님 가이드 | 38쪽

그림을 보며 아이에게 질문해 보세요.
- 왼쪽 시계에서 노란색 부분은 몇 분이니? 30분
- 짧은바늘은 9를, 긴바늘은 12를 가리킨다면 몇 시니? 9시
- 지금 9시야. 긴바늘이 5를 가리키면 몇 시가 되니? 9시 5분
- 오른쪽 시계는 몇 시니? 11시 20분

MEMO

37쪽 9번

❹ 마벨의 책 번호에서 4를 뺀 값은 5단에 나오는 수와 같아요. (49-4=45)

65	46	32	57	60	49
					마벨

❻ 콜린의 책 번호에 3을 더하면 2단과 10단에 나오는 수와 같아요. (57+3=60)

65	46	32	57	60	49
			콜린		마벨

❺ 헨리의 책 번호에 4를 더하면 2단과 10단에 나오는 수와 같아요. (46+4=50)

65	46	32	57	60	49
	헨리		콜린		마벨

❶ 시에나의 책 번호는 2, 5, 10단에 나오는 수와 같아요. (2×30=60, 5×12=60, 10×6=60)

65	46	32	57	60	49
	헨리		콜린	시에나	마벨

❷ 로라의 책 번호는 2단에 나오는 수와 같아요. →남은 수 65와 32 중에서 2단에 나오는 수는 32

65	46	32	57	60	49
	헨리	로라	콜린	시에나	마벨

❸ 토니의 책 번호는 5단에 나오는 수와 같아요. →남은 수는 65(5×13=65)

65	46	32	57	60	49
토니	헨리	로라	콜린	시에나	마벨

40-41쪽

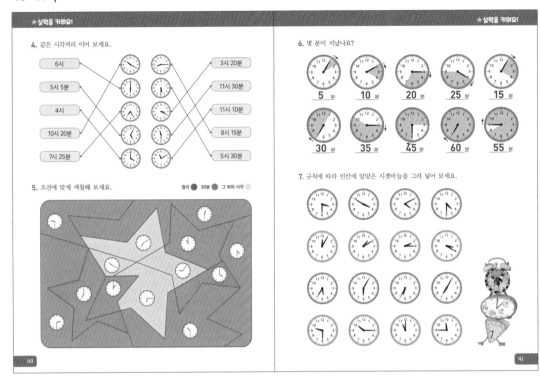

★ 실력을 키워요!

4. 같은 시각끼리 이어 보세요.

| 6시 |
| 5시 5분 |
| 4시 |
| 10시 20분 |
| 7시 25분 |

| 3시 20분 |
| 11시 30분 |
| 11시 10분 |
| 8시 15분 |
| 5시 30분 |

5. 조건에 맞게 색칠해 보세요.

정각 ● 30분 ● 그 외의 시각 ○

★ 실력을 키워요!

6. 몇 분이 지났나요?

5 분 10 분 20 분 25 분 15 분

30 분 35 분 45 분 60 분 55 분

7. 규칙에 따라 빈칸에 알맞은 시곗바늘을 그려 넣어 보세요.

41쪽 7번

- 3시 30분부터 20분씩 늘어나는 규칙
- 12시 5분부터 1시간 5분씩 (65분씩) 늘어나는 규칙
- 5시 35분부터 30분씩 늘어나는 규칙
- 9시 30분부터 45분씩 늘어나는 규칙

42-43쪽

7 **30분 전과 몇 분 전**

_____월 _____일 ____요일

정각
5분 전
10분 전
15분 전
20분 전
25분 전
30분 전

12시 25분 전

1. 몇 시인가요?

10 시 30분 **11** 시 **25** 분 전 **5** 시 30분 **6** 시 **25** 분 전

11 시 **20** 분 전 **11** 시 **15** 분 전 **6** 시 **20** 분 전 **6** 시 **15** 분 전

11 시 **10** 분 전 **11** 시 **5** 분 전 **6** 시 **10** 분 전 **6** 시 **5** 분 전

2. 시각에 맞게 시곗바늘을 그려 넣어 보세요.

1시 5분 전 2시 20분 전 6시 15분 전 9시 10분 전

10시 25분 전 10시 15분 전 10시 30분 12시 20분 전

3. 시각에 맞게 시곗바늘을 그려 넣어 보세요.

| 5시 20분 전 | 5시 10분 전 | 5시 30분 | 6시 5분 전 |
| 알렉이 집으로 와요. | 알렉이 저녁을 먹어요. | 알렉이 게임을 해요. | 알렉이 씻어요. |

한 번 더 연습해요!

1. 몇 시인가요?

2 시 30분 **3** 시 **10** 분 전 **8** 시 **25** 분 전

2. 계산해 보세요.

$4 \times 5 - 6 = $ **14**
$9 \times 5 - 2 = $ **43**
$6 \times 5 - 7 = $ **23**
$7 \times 5 - 5 = $ **30**

부모님 가이드 | 42쪽

그림을 보며 아이에게 질문해 보세요.
- 왼쪽 시계에서 초록색 부분은 몇 분이니? 30분
- 짧은바늘이 7과 8 중간에 있으면 몇 시일까? 7시 30분(7시 반)
- 7시 30분인데 5분이 더 지났어. 몇 시일까? 8시 25분 전(7시 35분)
- 오른쪽 시계는 몇 시니? 12시 25분 전(11시 35분)

44-45쪽

45쪽 6번

❶ 9시~1시(4시간)

❷ 1시 15분~1시 30분(15분)

❸ 1시 30분~2시(30분)

❹ 2시 30분~4시 30분(2시간)

❺ 4시 55분~5시 15분(20분)

❻ 6시~7시 5분(1시간 5분)

❼ 7시 50분~8시 15분(25분)

❽ 오후 9시~오전 7시(10시간)

46-47쪽

부모님 가이드 | 46쪽

그림을 보며 아이에게 질문해 보세요.

– 알렉이 9시 15분에 집에서 나왔어. 체육관에 도착한 시각이 몇 시니? **9시 40분**

– 집에서 체육관까지 가는 데 걸린 시간이 얼마니? **25분**

– 9시 40분을 다르게 표현해 봐. **10시 20분 전**

48-49쪽

★ 실력을 키워요!

6. 그림을 보고 걸린 시간을 구해 보세요.

학교까지 가는 데 걸린 시간
25분

수업하는 데 걸린 시간
45분

점심 먹는 데 걸린 시간
20분

숙제하는 데 걸린 시간
30분

밖에서 노는 데 걸린 시간
55분

독서하는 데 걸린 시간
35분

7. 15분씩 차이 나는 시각을 따라가 보세요.

★ 실력을 키워요!

8. 아래 글을 읽고 알맞은 시각을 써 보세요.

❶ 로라는 피아노 레슨을 3시 30분에 시작해서 40분 동안 받아요. 몇 시에 피아노 레슨이 끝나나요?

정답 **4시 10분**

❷ 미셸은 드럼 레슨을 5시에 마쳤요. 드럼 레슨은 50분 동안 받아요. 드럼 레슨은 몇 시에 시작되나요?

정답 **4시 10분**

❸ 윌슨은 바이올린 레슨을 7시 15분 전에 마쳤요. 바이올린 레슨은 35분 동안 받아요. 바이올린 레슨은 몇 시에 시작되나요?

정답 **6시 10분**

9. 시계와 시계 주인을 바르게 이어 보세요. 지금 시각은 3시예요.

내 시계는 ½이분 전을 가리키고 있어.

내 시계는 20분이 지났어.

내 시계는 30분이 느려.

놀이 수학

시계 놀이
인원: 2명 준비물: 123쪽 활동지 주사위 2개

놀이 방법

1. 각자 활동지 시계에 정각 12시를 그려요.
2. 번갈아 가며 주사위 2개를 굴려요. 주사위 1개가 5가 나오면 5분을, 2개 모두 5가 나오면 10분을 갈 수 있어요. 그 외의 수가 나오면 시곗바늘을 움직일 수 없고, 순서를 바꿔요.
3. 활동지 시계에 시곗바늘을 그려 가며 한 바퀴를 먼저 도는 사람이 이기는 거예요.

49쪽 8번

❶ 3시 30분에서 40분이 지난 시각은 4시 10분

❷ 5시에서 50분 전은 4시 10분

❸ 7시 15분 전은 6시 45분임. 6시 45분에서 35분 전은 6시 10분

49쪽 9번

- 3시 기준 40분 전은 2시 20분

- 3시 기준 20분이 지난 시각은 3시 20분

- 3시 기준 30분이 느린 시각은 2시 30분

50-51쪽

★ 실력을 키워요!

10. 시각에 맞게 시곗바늘을 그려 넣어 보세요.

6시 30분

7시 15분

9시

12시 10분 전

1시 25분

4시 5분 전

7시 20분

9시 15분 전

★ 실력을 키워요!

11. 규칙에 따라 버스 시간표를 채워 보세요.

8:10 8:20 8:30 8:40 8:50

8:50 8:55 9:00 9:05 9:10

12:50 13:15 13:40 14:05 14:30

긴바늘
짧은바늘
시 분
7:10

12. 인형이 시계를 가렸어요. 몇 시인지 알아맞혀 보세요.

지금 시각은 8시 20분 전에서 20분이 흘렀어요.

지금 **8시** 입니다.

지금 시각은 9시 25분 전에서 35분이 흘렀어요.

지금 **9시 10분** 입니다.

지금 시각은 7시 20분에서 20분이 흘렀어요.

지금 **8시 20분 전** 입니다.
(또는 7시 40분)

지금 시각은 6시 15분에서 50분이 흘렀어요.

지금 **7시 5분** 입니다.

51쪽 11번

- 8시 10분부터 10분씩 늘어나는 규칙

- 8시 50분부터 5분씩 늘어나는 규칙

- 12시 50분부터 25분씩 늘어나는 규칙

51쪽 12번

- 8시 20분 전은 7시 40분, 20분 후는 8시

- 9시 25분 전은 8시 35분, 35분 후는 9시 10분

- 7시 20분에서 20분 후는 7시 40분(또는 8시 20분 전)

- 6시 15분에서 50분 후는 7시 5분

9 프로그래밍

___월 ___일 ___요일

1. 점과 점 사이를 가는 데 5분이 걸려요. 가장 짧은 길을 따라갈 때 걸리는 시간을 구해 보세요.

집 - 학교	**35분**	할머니 집 - 도서관	**35분**
집 - 공원	**20분**	가게 - 공원	**20분**
집 - 가게	**40분**	도서관 - 수영장	**25분**
집 - 도서관	**35분**	공원 - 할머니 집	**50분**
집 - 할머니 집	**50분**	새의 집 - 다람쥐의 집	**30분**
집 - 수영장	**60분**	다람쥐의 집 - 언덕	**55분**

2. 아래 지시에 따라 움직여 보세요. 지나간 길은 □ 안에 X표 해 보세요.

X	1시간 뒤
X	2시간 뒤
X	1시간 뒤
X	2시간 뒤
X	1시간 뒤
X	2시간 뒤
X	1시간 뒤
X	1시간 뒤
X	2시간 뒤
X	3시간 뒤
X	2시간 뒤

스톡홀름
레이카비크
헬싱키
오슬로
코펜하겐

한 번 더 연습해요!

1. 52쪽에 있는 그림을 보고 문제를 풀어 보세요.

점과 점 사이를 가는 데 5분이 걸려요. 가장 짧은 길을 따라갈 때 걸리는 시간을 구해 보세요.

새의 집 - 마구간	**25분**
학교 - 다람쥐의 집	**40분**
가게 - 마구간	**50분**

2. 계산해 보세요.

23 + 9 = **32**
43 + 8 = **51**
37 + 7 = **44**
54 + 6 = **60**
77 + 5 = **82**

★실력을 키워요!

3. 계산한 후 정답에 해당하는 알파벳을 찾아 써넣으세요.

28 + 17 = **45** R	5 × 6 = **30** W	3 × 5 - 5 = **10** S
60 - 10 = **50** A	7 × 5 = **35** I	4 × 5 - 4 = **16** U
26 + 9 = **35** I	9 × 2 = **18** N	10 × 2 - 2 = **18** N
43 - 25 = **18** N	10 × 4 = **40** D	2 × 7 + 4 = **18** Y
32 - 12 = **20** Y	4 × 5 = **20** Y	5 × 3 + 5 = **20** Y

10	16	18	20	30	35	40	45	50
S	U	N	Y	W	I	D	R	A

4. 표를 보고 시각에 맞게 시곗바늘을 그려 넣어 보세요.

	4시	7시	9시
정각			
30분			
15분			
20분 전			

★실력을 키워요!

5. □ 안에 >, =, <를 알맞게 써넣어 보세요.

6 × 5 **<** 23 + 8
7 × 5 **=** 18 + 17
5 × 8 **>** 74 - 35
2 × 9 **=** 36 - 18
9 × 5 - 17 **>** 13 + 14
2 × 9 + 24 **=** 63 - 21

6. 아래 글을 읽고 집 주인과 취미를 알아맞혀 보세요.

21
집주인: **믹**
취미: **춤**

23
집주인: **에밀리**
취미: **수영**

25
집주인: **레이**
취미: **스키**

27
집주인: **토마스**
취미: **플로어볼**

① 토마스는 플로어볼을 즐겨 해요.
② 스키 타는 사람과 춤추는 사람은 이웃이 아니에요.
③ 레이의 집 번호는 5단에 있어요.
④ 에밀리는 춤추는 걸 좋아하는 사람의 옆집에 살아요.
⑤ 믹의 집 번호는 7의 3배예요.
⑥ 토마스의 집 번호는 54를 절반으로 나눈 값이에요.
⑦ 수영하는 사람은 레이의 옆집에 살아요.
⑧ 믹의 취미는 춤이에요.

7. 로봇의 작동 원리를 알아낸 후, 알맞은 수를 구해 보세요.

스스로 문제를 만들어 풀어 보세요.

12	24
15	30
28	56
42	**84**
26	**52**

×2

3	17
5	27
10	52
7	**37**
8	**42**

×5+2

55쪽 6번

⑤ 믹의 집 번호는 7의 3배예요.
→7×3=21, 믹=21

⑥ 토마스의 집 번호는 54를 절반으로 나눈 값이에요.
→54÷2=27, 토마스=27

③ 레이의 집 번호는 5단에 있어요. →21, 23, 25, 27 중 5단은 25, 레이=25 남은 번호는 23이므로, 에밀리=23

① 토마스는 플로어볼을 즐겨 해요. →토마스=플로어볼

⑧ 믹의 취미는 춤이에요. →믹=춤

② 스키를 타는 사람과 춤추는 사람은 이웃이 아니에요.→왼쪽 끝이 믹(취미가 춤)이고, 오른쪽 끝이 토마스(취미가 플로어볼)이므로, 3번째 레이의 취미가 스키임.

⑦ 수영하는 사람은 레이의 옆집에 살아요. →에밀리=수영

56-57쪽

58-59쪽

부모님 가이드 | 57쪽

1분(60초) 측정 놀이
아이와 함께 1분 측정 놀이를 해 보세요. 한 명은 스톱워치로 시간 측정을, 다른 한 명은 1부터 60까지 1초 단위로 세어 보세요. 60초까지 세었다면 스톱워치를 정지시켜 얼마나 정확하게 1분을 재었는지 확인합니다.

59쪽 16번

❶ 슈가는 셸리보다 15분 전에 깼어요. →15분 차이 나는 시각은 6시 35분과 6시 20분임. 슈가가 더 먼저 깼으므로, 슈가=6시 20분, 셸리=6시 35분

❷ 신디는 스팟보다 25분 후에 깼어요. →25분 차이 나는 시각은 6시 15분과 6시 40분임. 신디가 더 늦게 깼으므로, 신디=6시 40분, 스팟=6시 15분

60-61쪽

실력을 평가해 봐요!

_____ 월 _____ 일 _____ 요일

1. 몇 시인가요?

9시 | 9시 5분 | 9시 20분

11시 30분 | 12시 15분 | 5시 35분

2. 시각에 맞게 시켓바늘을 그려 넣어 보세요.

8시 15분 | 6시 | 7시 10분 전

3시 25분 전 | 9시 30분 | 11시 15분 전

★실력을 평가해 봐요!

3. 같은 시각끼리 이어 보세요.

6시 10분
4시 15분 전
1시 25분 전
7시 10분
10시 30분
10시

4. 시각에 맞게 시켓바늘을 그려 넣어 보세요.

알렉은 11시 15분에 집에서 출발했어요.

알렉은 12시 10분 전에 도서관에 도착했어요.

걸린 시간은 **35** 분이에요.

5. 몇 시인지 알아맞혀 보세요.

① 엘라의 피아노 레슨은 4시 30분에 시작해서 30분 동안 해요. 피아노 레슨이 끝나는 시각은 몇 시인가요?

5시

② 레오의 바이올린 레슨은 6시에 끝나요. 45분간 했다면 바이올린 레슨은 몇 시에 시작했나요?

5시 15분

얼마나 잘했나요?

실력이 자란 만큼 별을 색칠하세요.

☆ ☆ ☆

★★★ 정말 잘했어요.
★★☆ 꽤 잘했어요.
★☆☆ 계속 노력할게요.

62-63쪽

단원 평가

1. 시각에 맞게 시켓바늘을 그려 넣어 보세요.

2시 15분 전 | 7시 | 9시 25분 | 2시 30분

2. 규칙에 따라 수를 씨넣어 보세요.

10 - 15 - 20 - **25** - **30** - **35** - **40** - **45** - **50** - **55** - 60

95 - 85 - 75 - **65** - **55** - **45** - **35** - **25** - **15** - 5

3. 1분이 안 걸리는 것에 ○표 해 보세요.

※여러 가지 답이 나올 수 있어요.

가게에 다녀올 수 있어요.	
내 방을 청소할 수 있어요.	
공을 20번칠 수 있어요.	○
내 손을 닦을 수 있어요.	○
어린이 TV 프로그램을 볼 수 있어요.	
만화책을 볼 수 있어요.	
내 이름을 쓸 수 있어요.	○
연필을 깎을 수 있어요.	○

4. 규칙에 따라 시켓바늘을 그려 넣어 보세요.

5. ☐ 안에 알맞은 시각을 써 보세요.

출발

6:10 → +10분 → 6:20 → +20분

→ 6:40

7:00 ← +5분 ← 6:55 ← +15분

+25분 → 7:25 → +30분 → 7:55

63쪽 4번

- 12시 10분부터 10분씩 늘어나는 규칙

- 7시 45분부터 15분씩 늘어나는 규칙

64-65쪽

도전! 심화 평가

_____월 _____일 _____요일

1. 규칙에 따라 시곗바늘을 그려 넣어 보세요.

2. 언제 수영장에 도착했는지 시곗바늘을 그려 넣어 보세요.

- 케빈은 2시 15분 전에 수영장에 도착했어요.
- 닐스는 케빈보다 30분 전에 도착했어요.
- 알렉은 케빈보다 75분 후에 도착했어요.
- 진은 11시 15분에 수영장에 도착했어요.
- 조이는 진보다 25분 전에 도착했어요.
- 토미는 조이보다 80분 후에 도착했어요.

케빈   닐스   알렉   진   조이   토미

3. 규칙에 따라 알맞은 시각을 써넣어 보세요.

| 10:15 | 10:30 | 10:45 | 11:00 | 11:15 | 11:30 | 11:45 |

| 6:20 | 6:50 | 7:20 | 7:50 | 8:20 | 8:50 | 9:20 |

| 8:35 | 8:45 | 8:55 | 9:05 | 9:15 | 9:25 | 9:35 |

4. 표를 보고 빈칸을 채워 보세요.

출발	도착	걸린 시간
8:00	8:20	**20분**
9:10	9:20	**10분**
10:25	10:55	**30분**
11:05	12:00	**55분**

출발	도착	걸린 시간
6:10	6:20	10분
7:30	7:50	20분
7:55	8:20	25분
8:50	9:25	35분

문제를 풀기 어려우면 모형 시계를 이용하렴~!

64   65

65쪽 3번

- 10시 15분부터 15분씩 늘어나는 규칙

- 6시 20분부터 30분씩 늘어나는 규칙

- 8시 35분부터 10분씩 늘어나는 규칙

64쪽 1번

- 9시 30분부터 25분씩 늘어나는 규칙

- 6시 45분부터 1시간 15분씩 늘어나는 규칙

- 30분→1시간→1시간 30분→2시간으로 늘어나는 규칙

- 15분→30분→45분→60분(1시간)으로 늘어나는 규칙

64쪽 2번

❶ 케빈은 2시 15분 전에 수영장에 도착했어요.
→2시 15분 전은 1시 45분

❷ 닐스는 케빈보다 30분 전에 도착했어요.
→1시 45분보다 30분 전은 1시 15분

❸ 알렉은 케빈보다 75분 후에 도착했어요.
→1시 45분에서 75분 후는 3시

❺ 조이는 진보다 25분 전에 도착했어요.
→11시 15분에서 25분 전은 10시 50분

❻ 토미는 조이보다 80분 후에 도착했어요.
→10시 50분에서 80분 후는 12시 10분

MEMO

66-67쪽

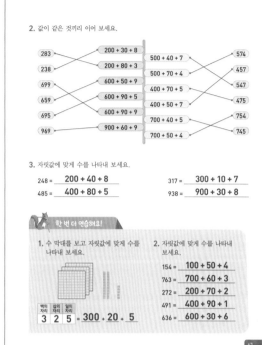

부모님 가이드 | 66쪽

그림을 보며 아이에게 질문해 보세요.
- 십 모형 1개는 일 모형 몇 개와 같니? **10개**
- 백 모형 1개는 십 모형 몇 개와 같니? **10개**
- 천 모형 1개는 백 모형 몇 개와 같니? **10개**
- 바다 그림 옆에 노란색 백 모형 몇 개가 있니? **4개**
- 빨간색 십 모형은 몇 개가 있니? **5개**
- 파란색 일 모형은 몇 개가 있니? **3개**
- 백의 자리와 십의 자리와 일의 자리에 있는 수를 모두 합해 보렴. **453**

68-69쪽

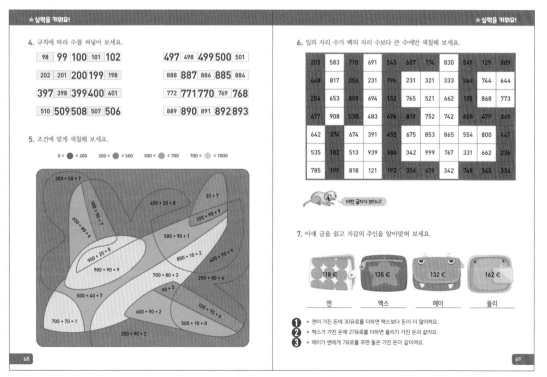

69쪽 7번

❷ 맥스가 가진 돈에 27유로를 더하면 올리가 가진 돈과 같아요. →135+27=162, 맥스=135, 올리=162

❸ 메이가 앤에게 7유로를 주면 둘은 가진 돈이 같아져요. →메이가 가진 돈이 더 많으므로 남은 돈 2개 중 메이=132(132-7=125), 앤=118(118+7=125)

70-71쪽

11 1000

천의 자리	백의 자리	십의 자리	일의 자리
1	0	0	0

1000이 10개이면 1000

1. 수 배열표를 보고 가려진 수의 값을 구해 보세요.

10	20	30	40	50	60	70	80	90	100
110	120	130	140	150	160	170	180	190	200
210	220		240	250		270	280	290	300
310	320	330	340	350	360	370		390	400
410	420	430	440		460	470	480	490	500
510			540	550	560	570	580	590	600
610	620	630	640	650	660	670	680	690	700
710	720		740	750		770	780	790	800
810		830	840	850	860	870	880	890	900
910		930	940	950		970	980		1000

= 230
= 760
= 520
= 820
= 530
= 380
= 990
= 960

2. 빈칸에 알맞은 수를 구해 보세요.

10		100		1000	
6 +	4	80 +	20	200 +	800
2 +	8	30 +	70	700 +	300
1 +	9	10 +	90	100 +	900
5 +	5	50 +	50	0 +	1000
0 +	10	90 +	10	400 +	600
4 +	6	60 +	40	900 +	100
3 +	7	40 +	60	800 +	200
9 +	1	20 +	80	1000 +	0
10 +	0	70 +	30	600 +	400
		0 +	100	300 +	700
		100 +	0	500 +	500

3. 규칙에 따라 수를 써넣어 보세요.

300	400	500	600	700	800	900	1000
20	120	220	320	420	520	620	720

한 번 더 연습해요!

1. 빈칸에 알맞은 수를 구해 보세요.

100 + **900** = 1000   1000 = 600 + **400**
800 + **200** = 1000   1000 = 300 + **700**
400 + **600** = 1000   1000 = 1000 + **0**
500 + **500** = 1000   1000 = 900 + **100**

부모님 가이드 | 70쪽

그림을 보며 아이에게 질문해 보세요.
– 천 모형 1개는 백 모형 몇 개와 같니? 10개
– 천 모형 1개는 십 모형 몇 개와 같니? 100개
– 천 모형 1개는 일 모형 몇 개와 같니? 1000개

부모님 가이드 | 71쪽

네 자리 수가 되면 수가 엄청 커 보여 아이가 당황할 수 있습니다. 아이에게 간단한 질문을 하여 수 감각을 키워 주세요.
– 900에 얼마를 더하면 1000이 될까? 100
– 800보다 100 작은 수는 뭘까? 700
– 1000을 반으로 나누면 얼마가 될까? 500

72-73쪽

★실력을 키워요!

4. 수 배열표를 생각하며 빈칸에 알맞은 수를 구해 보세요.

| 230 | 240 | 250 |
| 330 | 340 | 350 |

700		290	300		
800		390		270	
900		490	350	370	390
1000		590	450	460	470	480	490
		690			580

560	570	
660	670		690
760	770	780	790
		880	890
	980	

5. 세 자리 수를 써 보세요.

백오십삼   **153**   오백이십사   **524**

삼백십이   **312**   팔백삼십   **830**

6. 조건에 맞게 색칠해 보세요.

백의 자리 수가 5   십의 자리 수가 4   일의 자리 수가 7

503   521   743   867   427   594
137   575   648   657   946   345

★실력을 키워요!

7. 더해서 주어진 수를 만들 수 있는 3개의 수를 찾아 ○표 해 보세요.

8. 설명하는 수를 구름 속에서 찾아 써넣으세요.

- 세 자리 수 중에서 가장 큰 수는? **901**
- 세 자리 수 중에서 가장 작은 수는? **203**
- 790보다 크고 890보다 작은 수는? **886**
- 세 자리 수가 아닌 수는? **1000**
- 차가 48인 두 수는? **452와 404**
- 합이 1000이 되는 세 수는? **220, 245, 535**

245   535   886   899   404   220   901   237   1000   203   452

12 일의 자리 또는 십의 자리 수가 0일 때

일의 자리가 0일 때

백의 자리	십의 자리	일의 자리
3	2	0

삼백이십

십의 자리가 0일 때

백의 자리	십의 자리	일의 자리
3	0	2

삼백이

1. 수 막대를 보고 자릿값에 맞게 수를 나타내 보세요.

백의 자리	십의 자리	일의 자리
1	3	0

= 100 + 30

백의 자리	십의 자리	일의 자리
2	0	6

= 200 + 6

백의 자리	십의 자리	일의 자리
4	0	5

= 400 + 5

백의 자리	십의 자리	일의 자리
3	6	0

= 300 + 60

백의 자리	십의 자리	일의 자리
2	4	0

= 200 + 40

백의 자리	십의 자리	일의 자리
2	0	4

= 200 + 4

2. 자릿값에 맞게 수를 나타내 보세요.

305 = 300 + 5   210 = 200 + 10
108 = 100 + 8   470 = 400 + 70
649 = 600 + 40 + 9 503 = 500 + 3
990 = 900 + 90   909 = 900 + 9

3. 세 자리 수를 써 보세요.

삼백육십 **360**   사백구 **409**   오백팔 **508**

칠백사십 **740**   팔백팔 **808**   구백오십 **950**

한 번 더 연습해요!

1. 수 막대를 보고 자릿값에 맞게 수를 나타내 보세요.

백의 자리	십의 자리	일의 자리
3	7	0

= 300 + 70

2. 자릿값에 맞게 수를 나타내 보세요.

720 = 700 + 20
106 = 100 + 6
802 = 800 + 2
609 = 600 + 9
241 = 200 + 40 + 1

🐿 **부모님 가이드 | 74쪽**

그림을 보며 아이에게 질문해 보세요.

– 왼쪽 수 모형에서 백 모형이 몇 개 있니? 3개
– 십 모형은 몇 개 있니? 2개
– 일 모형은 몇 개 있니? 0개
– 그렇다면 일의 자리에 어떤 수가 올까? 0
– 왼쪽 수 모형을 수로 나타내고 읽어 보렴.
  320, 삼백이십
– 오른쪽 수 모형에서 백 모형이 몇 개 있니? 3개
– 십 모형은 몇 개 있니? 0개
– 일 모형은 몇 개 있니? 2개
– 오른쪽 수 모형을 수로 나타내고 읽어 보렴.
  302, 삼백이

★ 실력을 키워요!

4. 규칙에 따라 수를 써넣어 보세요.

126	**127**	128	**129**	**130**	**131**	132	**133**
496	**497**	498	**499**	**500**	**501**	**502**	503
599	**600**	**601**	**602**	**603**	604	**605**	**606**
757	758	**759**	**760**	761	**762**	**763**	764
800	**799**	**798**	**797**	796	**795**	**794**	**793**
811	**810**	809	**808**	**807**	**806**	**805**	804
852	851	**850**	**849**	848	**847**	846	**845**
1000	**999**	**998**	997	**996**	995	**994**	**993**

5. 조건에 맞게 색칠해 보세요.

- 십의 자리 수가 0 ●
- 일의 자리 수가 0 ●
- 십의 자리 수가 3 ●
- 일의 자리 수가 4 ●

850 990 864 407 201 805 14 637 909 354 924 131 39 50 260 832

6. 빈칸에 알맞은 수를 넣어 덧셈 계단을 완성해 보세요.

```
      67                 60                 72
   39  28            34  26             41  31
 31   8  20        17  17   9        33   8  23
```

```
      85                100                 82
   50  35            55  45             42  40
 29  21  14        23  32  13        17  25  15
14  15   6   8    4  19  13  0     2  15  10   5
```

7. 아래 글을 읽고 친구들의 이름을 알아맞혀 보세요.

❶ 헨리와 주디는 백의 자리 수가 같아요.
❷ 리차드는 주디와 십의 자리 수가 같아요.
❸ 필립은 십의 자리 수가 0이에요.
❹ 로렌스의 수가 가장 커요.
❺ 리차드는 일의 자리 수가 0이에요.

208 **헨리**   678 **로렌스**   238 **주디**
506 **필립**   430 **리차드**

77쪽 7번

❹ 로렌스의 수가 가장 커요.
→678이 가장 크므로 678=로렌스

❺ 리차드는 일의 자리 수가 0이에요. →430=리차드

❷ 리차드는 주디와 십의 자리 수가 같아요. →430=리차드이므로 십의 자리 수가 3인 수 238=주디

❶ 헨리와 주디는 백의 자리 수가 같아요. →238=주디이므로 백의 자리 수가 2인 수 208=헨리

❸ 필립은 십의 자리 수가 0이에요. →506=필립

78-79쪽

13 돈을 세어 보아요

20000원 + 3000원 + 500원
= 23500원

1. 돈은 모두 얼마인지 계산해 보세요.

5000원+500원+300원=5800원

5000원+800원=5800원

10000원+2000원+500원=12500원

10000원+2000원+500원=12500원

10000원+5000원+1000원=16000원

15000원+1000원=16000원

책 뒤에 있는 모형 돈을 활용하세요.

78

2. 돈이 얼마인지 확인한 후, 자릿값에 맞게 돈을 그려 넣어 보세요.

12800원   25500원   <예시 답안>

만 원	천 원	백 원
10000	1000 1000	100 100 100 100 100 100 100 100

만 원	천 원	백 원
10000 10000	1000	100 100 100 100 100

3. 아래 글을 읽고 문제를 풀어 보세요.

❶ 캐시는 딱지 300개를 갖고 있었는데 40개를 더 받고, 마지막에 6개를 더 받았어요. 캐시가 받은 딱지는 모두 몇 개인가요?

정답: 300 + 40 + 6 = 346

❷ 로라는 구슬 200개를 갖고 있었는데 80개를 더 받고, 마지막에 9개를 더 받았어요. 로라가 가진 구슬은 모두 몇 개인가요?

정답: 200 + 80 + 9 = 289

한 번 더 연습해요!

1. 돈은 모두 얼마인지 계산해 보세요.

정답: 20000원+3000원+200원=23200원

2. 자릿값에 맞게 수를 나타내 보세요.

385	=	300 + 80 + 5
576	=	500 + 70 + 6
890	=	800 + 90
743	=	700 + 40 + 3
606	=	600 + 6

79

부모님 가이드 | 78쪽

그림을 보며 아이에게 질문해 보세요.

- 그림에서 만 원짜리 지폐가 몇 개 있니? 2개
- 그림에서 천 원짜리 지폐가 몇 개 있니? 3개
- 천 원이 3개면 얼마니? 3000원(삼천 원)
- 그림에서 백 원짜리 동전이 몇 개 있니? 5개
- 백 원이 5개면 얼마니? 500원(오백 원)
- 그림에 있는 돈이 모두 얼마니? 23500원(이만 삼천 오백 원)

80-81쪽

★실력을 키워요!

4. 규칙에 따라 수를 써넣어 보세요.

99	100	101	102	103

912	911	910	909	908

496	497	498	499	500

804	803	802	801	800

608	609	610	611	612

303	302	301	300	299

5. 물건값에 해당하는 돈을 자릿값에 맞게 그려 넣고 합을 구해 보세요.

정답: 970원

정답: 860원

80

★실력을 키워요!

6. 그림이 들어간 식을 보고 그림의 값을 구해 보세요.

4 × □ = □ + □	□ = 150 ❶
□ ÷ 2 = □	□ = 75 ❷
1000 - □ = □	□ = 300 ❸
600 ÷ 2 = □	□ = 925 ❹

7. 아래 글을 읽고 학생들의 수를 알아맞혀 보세요.

❶ 멜로디의 수에서 십의 자리 수는 1이에요.
❷ 에릭과 사라의 수에서 십의 자리 수는 0이에요.
❸ 에이브는 줄리와 십의 자리 수가 같아요.
❹ 에릭의 수에서 백의 자리 수는 7이에요.
❺ 줄리와 사라는 백의 자리 수가 같고, 그 두 수를 더하면 6이에요.
❻ 멜로디와 사라의 수에서 일의 자리 수는 5예요.
❼ 줄리의 수에서 십의 자리 수와 에릭의 수에서 백의 자리 수는 같아요.
❽ 에이브의 수는 일의 자리 수가 0이고, 백의 자리 수는 6이에요.
❾ 에릭과 에이브의 수에 들어가는 3개의 숫자가 같아요.
❿ 줄리의 수에서 일의 자리 수는 4보다 3만큼 작아요.
⓫ 멜로디의 수에서 백의 자리 수는 4예요.

누구의 수가 가장 큰가요?   에릭

누구의 수가 가장 작은가요?   사라

멜로디   4 1 5

에릭   7 0 6

에이브   6 7 0

줄리   3 7 1

사라   3 0 5

81

81쪽 6번

❸ 600÷2= □ , □ =300

❶ 4× □ = □ + □ ,
4× □ =600, □ =150

❷ □ ÷2= □ ,
150÷2= □ , □ =75

❹ 1000- □ = □ ,
1000-75= □ , □ =925

★ 실력을 키워요!　　　　　　　　　　　　★ 실력을 키워요!

8. 250부터 360까지의 수를 순서대로 이어 보세요.

9. 친구들이 설명하는 수를 알아맞혀 보세요.

300과 400 사이에 있는 수인데 일의 자리, 십의 자리, 백의 자리 수가 모두 같아.

마틸다의 수　**333**

마틸다의 수보다 58만큼 더 큰 수야.

조셉의 수　**391**

세 자리 수로 150보다 작아. 각 자리 수의 세 수를 더하면 10이야.

에밀리의 수　**100**

세 자리 수인데, 각 자리 수의 세 수를 더하면 10이며, 백의 자리 수와 일의 자리 수는 같고, 일의 자리 수는 마틸다의 수와 같아.

클레어의 수　**343**

백의 자리 수가 4야. 각 자리 수의 세 수를 더하면 7이고, 십의 자리 수는 0이야.

토미의 수　**403**

가장 큰 수를 말한 사람은 누구일까?
토미

10. 그림이 들어간 식을 보고 그림의 값을 구해 보세요.

100	×	♥	=	■		●	=	**1000**	❶
▲	=	■	÷	2		▲	=	**200**	❷
●	÷	4	=	★		♥	=	**4**	❸
★	×	2	=	500		★	=	**250**	❹
▲	×	5	=	●		■	=	**400**	❺

마틸다
300과 400 사이에 있는 수 가운데 세 자리 수가 모두 같은 수는 333

클레어
1. 일의 자리 수는 마틸다의 수 3과 같고, 백의 자리 수와 일의 자리 수가 같으므로, 일의 자리 수는 3, 백의 자리 수도 3.
2. 세 수를 더하면 10이 되므로 3+3+□=10, □=4 따라서 343

조셉
마틸다의 수보다 58만큼 더 큰 수이므로, 333+58=391

에밀리
150보다 작으면서 세 자리 수이고, □+□+□=1이면 1과 나머지는 0이 되므로 100

토미
백의 자리 수=4, 십의 자리 수=0, 일의 자리 수는 4+0+□=7이므로 □=3, 따라서 403

❹ ★×2=500, ★=250

❶ ●÷4=★, ●÷4=250, ●=1000

❷ ▲×5=●, ▲×5=1000, ▲=200

❺ ▲=■÷2, 200=■÷2, ■=400

❸ 100×♥=■, 100×♥=400, ♥=4

MEMO

81쪽 7번

❽ 에이브의 수는 일의 자리 수가 0이고, 백의 자리 수는 6이에요. 에이브 | 6 | | 0 |

❹ 에릭의 수에서 백의 자리 수는 7이에요. 에릭 | 7 | | |

❾ 에릭과 에이브의 수에 들어가는 3개의 숫자가 같아요. →3개의 수는 0, 6, 7임.
따라서 에이브 | 6 | 7 | 0 |

❷ 에릭과 사라의 수에서 십의 자리 수는 0이에요. → 0과 6 중 십의 자리 수에 0이 들어가면 나머지 6은 일의 자리가 됨. 에릭 | 7 | 0 | 6 |, 사라 | | 0 | |

❻ 멜로디와 사라의 수에서 일의 자리 수는 5예요. 멜로디 | | | 5 |, 사라 | | 0 | 5 |

⑪ 멜로디의 수에서 백의 자리 수는 4예요. 멜로디 | 4 | | 5 |

❶ 멜로디의 수에서 십의 자리 수는 1이에요.를 종합하면 멜로디 | 4 | 1 | 5 |

❺ 줄리와 사라는 백의 자리 수가 같고, 그 두 수를 더하면 6이에요. 같은 수를 더해 6이 되는 수는 3, 사라 | 3 | 0 | 5 |, 줄리 | 3 | | |

⑩ 줄리의 수에서 일의 자리 수는 4보다 3만큼 작아요. 4-3=1이므로, 줄리 | 3 | | 1 |

❼ 줄리의 수에서 십의 자리 수와 에릭의 수에서 백의 자리 수는 같아요. 에릭의 수에서 백의 자리 수는 7이므로, 줄리 | 3 | 7 | 1 |

84-85쪽

84-85쪽

14 수의 크기 비교

백의 자리	십의 자리	일의 자리		백의 자리	십의 자리	일의 자리
2	7	4	<	3	7	4

백의 자리 수의 크기를 가장 먼저 비교해요.

백의 자리	십의 자리	일의 자리		백의 자리	십의 자리	일의 자리
6	8	0	>	6	7	0

백의 자리 수가 같을 때는 십의 자리 수의 크기를 비교해요.

백의 자리	십의 자리	일의 자리		백의 자리	십의 자리	일의 자리
5	2	3	<	5	2	4

백의 자리 수와 십의 자리 수가 같을 때는 일의 자리 수의 크기를 비교해요.

1. 수 막대를 보고 수를 쓴 후, ☐ 안에 >, =, <를 알맞게 써넣어 보세요.

238 < 322   346 > 344
448 < 457   421 < 424
236 = 236   418 > 318

2. ☐ 안에 >, =, <를 알맞게 써넣어 보세요.

125 < 208   267 > 213   154 > 152
367 > 195   432 < 486   894 < 896
724 < 974   509 < 510   460 = 460
459 = 459   947 > 939   345 > 344

3. 수의 크기에 맞추어 작은 수부터 차례대로 써넣어 보세요.

259 167 654 308 637 → 167 259 308 637 654

754 658 495 629 643 → 495 629 643 658 754

406 551 427 515 419 → 406 419 427 515 551

한 번 더 연습해요!

1. 수의 크기에 맞추어 작은 수부터 차례대로 써넣어 보세요.

753 831 748 755 762 → 748 753 755 762 831

2. ☐ 안에 >, =, <를 알맞게 써넣어 보세요.

348 > 308   362 > 352   541 > 514
736 < 739   153 < 162   946 = 946

84-85쪽

14 수의 크기 비교

백의 자리	십의 자리	일의 자리		백의 자리	십의 자리	일의 자리
2	7	4	<	3	7	4

백의 자리 수의 크기를 가장 먼저 비교해요.

| 6 | 8 | 0 | > | 6 | 7 | 0 |

백의 자리 수가 같을 때는 십의 자리 수의 크기를 비교해요.

| 5 | 2 | 3 | < | 5 | 2 | 4 |

백의 자리 수와 십의 자리 수가 같을 때는 일의 자리 수의 크기를 비교해요.

1. 수 막대를 보고 수를 쓴 후, ☐ 안에 >, =, <를 알맞게 써넣어 보세요.

238 < 322   346 > 344
448 < 457   421 < 424
236 = 236   418 > 318

2. ☐ 안에 >, =, <를 알맞게 써넣어 보세요.

125 < 208   267 > 213   154 > 152
367 > 195   432 < 486   894 < 896
724 < 974   509 < 510   460 = 460
459 = 459   947 > 939   345 > 344

3. 수의 크기에 맞추어 작은 수부터 차례대로 써넣어 보세요.

259 167 654 308 637 → 167 259 308 637 654

754 658 495 629 643 → 495 629 643 658 754

406 551 427 515 419 → 406 419 427 515 551

한 번 더 연습해요!

1. 수의 크기에 맞추어 작은 수부터 차례대로 써넣어 보세요.

753 831 748 755 762 → 748 753 755 762 831

2. ☐ 안에 >, =, <를 알맞게 써넣어 보세요.

348 > 308   362 > 352   541 > 514
736 < 739   153 < 162   946 = 946

부모님 가이드 | 84쪽

그림을 보며 아이에게 질문해 보세요.
– 274와 374를 비교해 보렴. 어떤 수가 더 크니? **374**
– 왜 374가 274보다 크니? **백의 자리 수를 비교해 보면 2보다 3이 더 커요.**
– 680과 670에서 백의 자리 수를 비교해 보렴. **같아요.**
– 십의 자리 수를 비교해 보렴. 8과 7을 비교했을 때 8이 더 커요.
– 두 수 중 어떤 수가 더 크니? **680**

86-87쪽

★실력을 키워요!

4. 수직선을 보고 깃발 안에 알맞은 수를 써넣어 보세요.

272 279   297 304 314   329

457   471   487 495 502   513

724   735   748   762 769   783

5. 더 큰 수를 따라가 보세요. 양 갈래 길 모두 큰 수가 있을 경우, 두 길 중 더 큰 수를 따라가세요.

출발 100	107	104	378	400	407	410
98	126	123	380	401	411	402
220	221	257	315	406	448	538
207	217	241	314	631	613	601
404	599	598	586	678	602	705

★실력을 키워요!

6. ❶ 친구들의 점수를 계산해 보세요.

● 라몬	620
● 줄리	1205
● 윌리엄	710
● 올리비아	1025

❷ 점수를 계산한 결과표를 보고, 참인지 거짓인지 표시하세요.

	참	거짓
• 줄리는 올리비아와 점수가 같아요.		○
• 윌리엄은 라몬보다 90점이 더 높아요.	○	
• 윌리엄이 280점을 더 얻으면 1000점이 돼요.		○
• 윌리엄이 315점을 더 얻으면 올리비아와 점수가 같아져요.	○	
• 라몬이 2개의 공을 정가운데로 던지면 650점이 돼요.		○

5 50 500 50 5

52

15 세 자리 수에서 일의 자리 수의 덧셈과 뺄셈

3 2 4 + 3 = 3 2 7
일의 자리 수끼리 더해요.

3 2 7 - 3 = 3 2 4
일의 자리 수끼리 빼요.

1. 수 막대를 보고 계산해 보세요.

384 + 5 = **389**

243 + 4 = **247**

206 + 3 = **209**

292 + 4 = **296**

372 + 5 = **377**

243 + 5 = **248**

2. 계산한 후 정답을 찾아 ○표 하세요.

492 + 3 = **495**

492 + 4 = **496**

492 + 5 = **497**

22 + 4 = **26**

122 + 4 = **126**

422 + 4 = **426**

3 + 124 = **127**

3 + 361 = **364**

3 + 232 = **235**

26 126 127 235 245 364 424 495 496 497

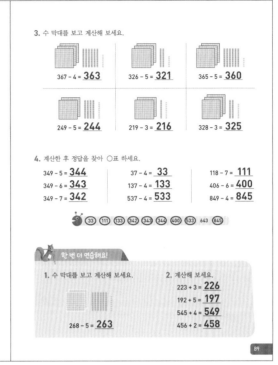

3. 수 막대를 보고 계산해 보세요.

367 - 4 = **363**

326 - 5 = **321**

365 - 5 = **360**

249 - 5 = **244**

219 - 3 = **216**

328 - 3 = **325**

4. 계산한 후 정답을 찾아 ○표 하세요.

349 - 5 = **344**

349 - 6 = **343**

349 - 7 = **342**

37 - 4 = **33**

137 - 4 = **133**

537 - 4 = **533**

118 - 7 = **111**

406 - 6 = **400**

849 - 4 = **845**

33 111 133 342 343 344 400 533 643 845

한 번 더 연습해요!

1. 수 막대를 보고 계산해 보세요.

268 - 5 = **263**

2. 계산해 보세요.

223 + 3 = **226**

192 + 5 = **197**

545 + 4 = **549**

456 + 2 = **458**

88

89

부모님 가이드 | 88쪽

그림을 보며 아이에게 질문해 보세요.
– 왼쪽에 어떤 덧셈식이 있니? 324+3=327
– 더하는 수 3이 어떤 수 모형과 더해졌니? 일 모형 4와 더해져서 7이 됐어요.
– 오른쪽에는 어떤 뺄셈식이 있니? 327-3=324
– 수 모형에서 뺄셈이 어떻게 나타내졌니? 일 모형에서 3개가 지워졌어요.

MEMO

87쪽 6번

점수판에 이름에 해당하는 색이 몇 개 있고 몇 점을 얻었는지 표를 만들어서 살펴보면 좋아요.
센 것은 ×표 하면서 지우면 헷갈리지 않고 정확하게 계산할 수 있어요.

이름	500점	50점	5점	계산식	합계
라몬	1	2	4	500×1+50×2+5×4	620
줄리	2	4	1	500×2+50×4+5×1	1205
윌리엄	1	4	2	500×1+50×4+5×2	710
올리비아	2	0	5	500×2+50×0+5×5	1025

90-91쪽

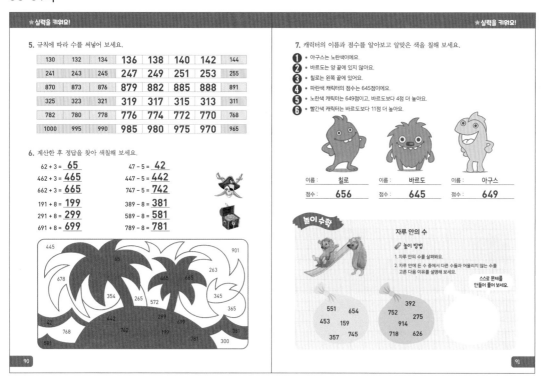

★ 실력을 키워요!

5. 규칙에 따라 수를 써넣어 보세요.

130	132	134	**136**	**138**	**140**	**142**	144
241	243	245	**247**	**249**	**251**	**253**	255
870	873	876	**879**	**882**	**885**	**888**	891
325	323	321	**319**	**317**	**315**	**313**	311
782	780	778	**776**	**774**	**772**	**770**	768
1000	995	990	**985**	**980**	**975**	**970**	965

6. 계산한 후 정답을 찾아 색칠해 보세요.

62 + 3 = **65**   47 − 5 = **42**
462 + 3 = **465**   447 − 5 = **442**
662 + 3 = **665**   747 − 5 = **742**
191 + 8 = **199**   389 − 8 = **381**
291 + 8 = **299**   589 − 8 = **581**
691 + 8 = **699**   789 − 8 = **781**

7. 캐릭터의 이름과 점수를 알아보고 알맞은 색을 칠해 보세요.

❶ 아구스는 노란색이에요.
❷ 바르도는 양 끝에 있지 않아요.
❸ 칠로는 왼쪽 끝에 있어요.
❹ 파란색 캐릭터의 점수는 645점이에요.
❺ 노란색 캐릭터는 649점이고, 바르도보다 4점 더 높아요.
❻ 빨간색 캐릭터는 바르도보다 11점 더 높아요.

이름 **칠로**   이름 **바르도**   이름 **아구스**

점수 **656**   점수 **645**   점수 **649**

놀이 수학

자루 안의 수

🎲 놀이 방법

1. 자루 안의 수를 살펴봐요.
2. 자루 안에 수 중에서 다른 수들과 어울리지 않는 수를 고른 다음 이유를 설명해 보세요.

스스로 문제를 만들어 풀어 보세요.

551 654   392
453 159   752 275
357 745   914
         718 626

92-93쪽

16 세 자리 수에서 십의 자리 수의 덧셈과 뺄셈

___월 ___일 ___요일

243 + 20 = 263
십의 자리 수끼리 더해요.

263 − 20 = 243
십의 자리 수끼리 빼요.

1. 수 막대를 보고 계산해 보세요.

218 + 60 = **278**   354 + 40 = **394**   156 + 30 = **186**

209 + 50 = **259**   362 + 30 = **392**   403 + 60 = **463**

2. 계산한 후 정답을 찾아 ○표 하세요.

532 + 40 = **572**   49 + 30 = **79**   70 + 30 = **100**
532 + 50 = **582**   149 + 30 = **179**   170 + 30 = **200**
532 + 60 = **592**   449 + 30 = **479**   470 + 30 = **500**

🐛 (79)(100)(179)(200)(479) 497 (500)(572)(582)(592)

3. 수 막대를 보고 계산해 보세요.

175 − 30 = **145**   280 − 50 = **230**   226 − 20 = **206**

394 − 80 = **314**   159 − 50 = **109**   338 − 10 = **328**

4. 계산한 후 정답을 찾아 ○표 하세요.

473 − 50 = **423**   68 − 20 = **48**   100 − 40 = **60**
473 − 60 = **413**   268 − 20 = **248**   200 − 40 = **160**
473 − 70 = **403**   568 − 20 = **548**   500 − 40 = **460**

🐌 (48)(60)(160)(248)(403)(413)(423)(460)(548) 608

🐱 **한 번 더 연습해요!**

1. 수 막대를 보고 계산해 보세요.

245 − 30 = **215**

2. 계산해 보세요.

140 + 50 = **190**
232 + 60 = **292**
426 + 40 = **466**
930 + 70 = **1000**

91쪽 7번

❷ 바르도는 양 끝에 있지 않아요. →가운데=바르도

❸ 칠로는 왼쪽 끝에 있어요. → 첫 번째=칠로, 세 번째=아구스

❶ 아구스는 노란색이에요. →아구스=노란색

❺와 ❻에서 바르도와 비교하므로 파란색=바르도, 남은 빨간색=칠로

❹ 파란색 캐릭터의 점수는 645점이에요. →바르도=파란색=645

❺ 노란색 캐릭터는 649점이고 바르도보다 4점 더 높아요. →아구스=노란색=645+4 =649

❻ 빨간색 캐릭터는 바르도보다 11점 더 높아요. →칠로= 빨간색=645+11=656

91쪽 놀이 수학

여러 가지 답이 나올 수 있어요.

파랑 자루
- 다른 수는 모두 홀수이고 654만 짝수
- 551만 같은 수가 2번 나옴.
- 745만 십의 자리 수가 5가 아님.

초록 자루
- 다른 수는 모두 짝수이고 275만 홀수
- 626만 같은 수가 2번 나옴.
- 718만 각 자리 수의 합이 14가 아님.

 부모님 가이드 | 92쪽

그림을 보며 아이에게 질문해 보세요.

− 왼쪽에 어떤 덧셈식이 있니? 243+20=263

− 더하는 수 200이 어떤 수 모형과 더해졌니? 십 모형 40과 더해져서 60이 됐어요.

− 오른쪽에는 어떤 뺄셈식이 있니? 263−20=243

− 수 모형에서 뺄셈이 어떻게 나타내졌니? 십 모형에서 2개가 지워졌어요.

94-95쪽

★실력을 키워요!

5. 규칙에 따라 수를 써넣어 보세요.

150	160	170	**180**	**190**	**200**	**210**	220
420	440	460	**480**	**500**	**520**	**540**	560
650	700	750	**800**	**850**	**900**	**950**	1000
440	430	420	**410**	**400**	**390**	**380**	370
770	750	730	**710**	**690**	**670**	**650**	630
860	810	760	**710**	**660**	**610**	**560**	510

6. 계산한 후 정답을 찾아 색칠해 보세요.

20 + 42 = **62** 38 - 10 = **28**
320 + 42 = **362** 638 - 10 = **628**

64 - 20 = **44** 26 + 30 = **56**
564 - 20 = **544** 926 + 30 = **956**

58 - 50 = **8** 67 - 40 = **27**
658 - 50 = **608** 567 - 40 = **527**

24 + 40 = **64** 95 - 70 = **25**
924 + 40 = **964** 795 - 70 = **725**

어떤 모양이 보이니?

★실력을 키워요!

7. 세로셈으로 계산한 후에 정답을 찾아 ○표 하세요.

```
  1 5 5      2 6 4      6 0 3
+ 3 4 2    + 5 2 3    + 3 2 6
  4 9 7      7 8 7      9 2 9
```

```
  8 7 3      4 7 9      8 4 9
- 5 4 2    - 3 6 7    - 6 4 5
  3 3 1      1 1 2      2 0 4
```

101 (112) (204) (331) (497) (787) (929)

8. 엠마, 릴리, 할리의 가면이 어느 것인지 알아보고, 역할 이름과 비밀번호를 알아맞혀 보세요.

❶ 아브라카다브라의 마스크는 시리우스의 마스크 옆에 있어요.
❷ 릴리의 수에 20을 더하면 365가 나와요.
❸ 할리의 수는 554보다 120만큼 작아요.
❹ 트릭스의 수는 740의 반과 같아요.
❺ 할리의 마스크는 가운데 있지 않아요.
❻ 트릭스의 마스크는 깃털이 없어요.
❼ 릴리의 역할 이름은 아브라카다브라가 아니에요.
❽ 엠마의 마스크는 깃털이 없어요.

이름: 할리	이름: 릴리	이름: 엠마
역할 이름: 아브라카다브라	역할 이름: 시리우스	역할 이름: 트릭스
비밀번호: **434**	비밀번호: **345**	비밀번호: **370**

94

95

95쪽 8번

❻ 트릭스의 마스크는 깃털이 없어요.

❽ 엠마의 마스크는 깃털이 없어요.
→마지막 마스크에 이름은 엠마, 역할 이름은 트릭스

❺ 할리의 마스크는 가운데 있지 않아요.
→엠마의 마스크는 오른쪽 끝에 있으므로 첫 번째는 할리, 가운데는 남은 이름 릴리가 됨

❼ 릴리의 역할 이름은 아브라카다브라가 아니에요.
→역할 이름 중 남은 것은 시리우스이므로 릴리의 역할 이름은 시리우스, 할리는 아브라카다브라

❸ 할리의 수는 554보다 120만큼 작아요. 554-120=434

❹ 트릭스의 수는 740의 반과 같아요. 740을 반으로 가르면 370

❷ 릴리의 수에 20을 더하면 365가 나와요. 365-20=345

96-97쪽

17 세 자리 수에서 백의 자리 수의 덧셈과 뺄셈

___월 ___일 ___요일

2 1 3 + 1 0 0 = 3 1 3
백의 자리 수끼리 더해요.

3 1 3 - 1 0 0 = 2 1 3
백의 자리 수끼리 빼요.

1. 수 막대를 보고 계산해 보세요.

438 + 200 = **638** 341 + 500 = **841** 375 + 300 = **675**

326 + 600 = **926** 260 + 700 = **960** 301 + 400 = **701**

2. 계산한 후 정답을 찾아 ○표 하세요.

231 + 300 = **531** 147 + 200 = **347** 400 + 68 = **468**
231 + 400 = **631** 347 + 200 = **547** 400 + 268 = **668**
231 + 500 = **731** 647 + 200 = **847** 400 + 568 = **968**

(347) (468) 513 (531) (547) (631) (668) (731) (847) (968)

96

3. 수 막대를 보고 계산해 보세요.

252 - 100 = **152** 337 - 200 = **137** 124 - 100 = **24**

402 - 300 = **102** 521 - 300 = **221** 537 - 200 = **337**

4. 계산한 후 정답을 찾아 ○표 하세요.

742 - 400 = **342** 678 - 600 = **78** 458 - 300 = **158**
742 - 500 = **242** 778 - 600 = **178** 403 - 100 = **303**
742 - 600 = **142** 978 - 600 = **378** 839 - 200 = **639**

(78) (142) (158) (178) 181 (242) (303) (342) (378) (639)

한 번 더 연습해요!

1. 식을 쓰고 정답을 구해 보세요.

엠마는 352점에서 200점을 잃었어요. 엠마에게 남은 점수는 몇 점인가요?

식: **352 - 200 = 152**

정답: **152점**

2. 계산해 보세요.

835 - 300 = **535**
478 + 500 = **978**
200 + 547 = **747**
580 - 500 = **80**

97

부모님 가이드 | 96쪽

그림을 보며 아이에게 질문해 보세요.

- 가장 왼쪽에 어떤 수가 있니? 213
- 수 모형으로 213을 나타내 보렴. 백 모형 2개, 십 모형 1개, 일 모형 3개
- 213에 얼마를 더했니? 100
- 213+100은 얼마니? 313
- 더하는 수 1000이 어떤 수 모형과 더해졌니? 백 모형 2와 더해져서 3000이 됐어요.
- 이제 오른쪽에 있는 수 313을 보자. 수 모형으로 313을 나타내 보렴. 백 모형 3개, 십 모형 1개, 일 모형 3개
- 313에서 얼마를 뺐니? 100
- 313-100은 얼마니? 213
- 수 모형에서 뺄셈이 어떻게 나타내졌니? 백 모형에서 1개가 지워졌어요.

55

98-99쪽

★실력을 키워요!

5. 아래 글을 읽고 식을 쓴 후 정답을 구해 보세요.

❶ 메이는 437점에서 200점을 잃었어요. 메이에게 남은 점수는 몇 점인가요?

식 : 437 - 200 = 237

정답 : 237점

❷ 실비아는 400점을 잃었어요. 실비아의 처음 점수가 682점이라면, 남은 점수는 몇 점인가요?

식 : 682 - 400 = 282

정답 : 282점

6. 그림을 보고 돈이 얼마인지 쓴 후, ☐ 안에 >, =, <를 알맞게 써넣어 보세요.

6400원 > 6200원

11500원 = 11500원

8200원 < 8500원

20700원 > 20500원

★실력을 키워요!

7. 빈칸에 알맞은 수를 구해 보세요.

```
  2 3 4            7 4 2            3 4 6
+ 1 5 4          + 2 4 1          + 3 2 1
  3 8 8            9 8 3            6 6 7

  5 6 3            6 7 4            9 7 8
- 3 2 1          - 1 2 0          -   4 7
  2 4 2            5 5 4            9 3 1
```

8. 처음 수를 구해 보세요.

❶ 시작 처음 수 324 → 20을 빼세요. → 600을 더하세요. → 마침 마지막 수 904

❷ 시작 처음 수 240 → 2를 곱하세요. → 50을 더하세요. → 마침 마지막 수 530

❸ 시작 처음 수 950 → 800을 빼세요. → 3으로 나누세요. → 마침 마지막 수 50

99쪽 8번

처음 수를 구하려면 마지막 수를 가지고 반대로 계산해야 하므로 덧셈은 뺄셈, 뺄셈은 덧셈, 곱셈은 나눗셈, 나눗셈은 곱셈으로 계산해야 해요.

❶ 904-600=304, 304+20=324, 처음 수는 324

❷ 530-50=480, 480÷2=240, 처음 수는 240

❸ 50×3=150, 150+800=950, 처음 수는 950

100-101쪽

실력을 평가해 봐요!

_____ 월 _____ 일 _____ 요일

1. 자릿값에 맞게 수를 나타내 보세요.

백의 자리	십의 자리	일의 자리
5	7	2	= 500 + 70 + 2

백의 자리	십의 자리	일의 자리
4	6	5	= 400 + 60 + 5

백의 자리	십의 자리	일의 자리
4	7	0	= 400 + 70

백의 자리	십의 자리	일의 자리
3	0	7	= 300 + 7

2. 규칙에 따라 수를 써넣어 보세요.

| 346 | 347 | 348 | 349 | 350 | 351 | 352 | 353 |

| 594 | 593 | 592 | 591 | 590 | 589 | 588 | 587 |

3. 자릿값에 맞게 수를 나타내 보세요.

472 = 400 + 70 + 2
615 = 600 + 10 + 5
537 = 500 + 30 + 7
764 = 700 + 60 + 4

303 = 300 + 3
180 = 100 + 80
801 = 800 + 1
990 = 900 + 90

★실력을 평가해 봐요!

4. 그림을 보고 돈이 얼마인지 쓴 후, ☐ 안에 >, =, <를 알맞게 써넣어 보세요.

5800원 < 6000원

12000원 > 11800원

5. ☐ 안에 >, =, <를 알맞게 써넣어 보세요.

521 < 802
763 > 591

452 < 461
786 > 750

543 > 541
637 < 639

6. 계산해 보세요.

121 + 7 = 128
432 + 3 = 435

428 + 50 = 478
570 + 20 = 590

326 + 100 = 426
300 + 639 = 939

219 - 7 = 212
526 - 4 = 522

986 - 50 = 936
837 - 30 = 807

574 - 200 = 374
967 - 900 = 67

얼마나 잘했나요?

실력이 자란 만큼 별을 색칠하세요.

☆ ☆ ☆

★★★ 정말 잘했어요.
★★☆ 꽤 잘했어요.
★☆☆ 계속 노력할게요.

102-103쪽

103쪽 6번

❶ 삼각형과 원 안에 있지만, 사각형 안에는 있지 않아요.
→675, 712 중 712만 해당

❷ 삼각형과 사각형 안에 있지만, 원 안에는 있지 않아요.
→154, 675 중 154만 해당

❸ 모든 도형 안에 있어요.
→675

❹ 삼각형 안에만 있고, 모든 자릿수의 합은 7과 같아요.
→142, 215 중 142만 해당

❺ 사각형 안에만 있고 홀수예요.
→613, 518 중 613만 해당

❻ 원 안에만 있고 십의 자리 수가 2예요.
→722, 217 중 722만 해당

104-105쪽

105쪽 3번

❶ 156×2=312

❷ 135×3=405

❸ 250×4=1000

❹ 600을 4등분하면 150, 600-150=450

❺ 880을 4등분하면 220, 880-220=660

❻ 750을 3등분하면 250, 750-250=500

105쪽 4번

❸ 미라는 킴보다 돈이 더 많아요.

❶ 아만다가 가진 돈에 16유로를 더하면 미라가 가진 돈과 같아져요.
→16 차이 나면서 더 큰 수는 148과 164인데 아만다가 더 적게 가졌으므로 아만다=148, 미라=164

❷ 킴이 제리에게 8유로를 주면 둘은 가진 돈이 같아져요.
→남은 지갑 126과 142에서 킴이 돈이 더 많아야 하므로 킴=142(142-8=134), 제리=126(126+8=134)

107쪽

★ 놀이 수학

수평 만들기
인원 : 2명 준비물 : 옷걸이, 비닐봉지 2개, 같은 크기의 블록

📏 놀이 방법

1. 무게를 잴 물건을 정한 후, 아래 표에 물건 이름을 써요.
2. 비닐봉지에 물건을 넣은 후, 옷걸이 한쪽에 걸어요. 반대쪽 옷걸이에도 비닐봉지를 걸고 수평이 될 때까지 블록을 담아요. 직접 측정하기 전에 어림한 결과를 미리 써 보세요. 물건의 무게는 블록 몇 개의 무게와 같나요? 어림한 결과와 같나요?

물건	어림한 결과	측정한 결과
테니스공	블록 개	블록 개

양쪽의 무게가 같으면 수평이 돼~!

📏 한 번 더 연습해요!

1. □ 안에 >, =, <를 알맞게 써넣어 보세요.

580 **>** 200 + 340

890 **>** 480 + 400

935 **<** 360 + 600

200 + 350 **<** 940 − 400

100 + 590 **<** 899 − 200

200 + 260 **=** 760 − 300

107

109쪽

★ 놀이 수학

덧셈 뺄셈 놀이
인원 : 2명 준비물 : 0~9까지의 수 카드

이름: _____   이름: _____

백의 자리	십의 자리	일의 자리		일의 자리	백의 자리	십의 자리	일의 자리			백의 자리	십의 자리	일의 자리		일의 자리	백의 자리	십의 자리	일의 자리	

📏 놀이 방법

책 뒤에 있는 놀이 카드를 이용하세요.

1. 0~9까지의 수 카드를 책상 위에 뒤집어 펼쳐 놓아요.
2. 가위바위보로 순서를 정한 후, 번갈아 가며 수 카드를 1개씩 골라요. 나온 수를 첫째 식부터 빈칸에 자유롭게 써넣어요. 사용한 카드는 다시 뒤집어서 섞어 놓아요.
3. 덧셈에서는 계산값이 더 큰 사람이 1점을 얻고, 뺄셈에서는 계산값이 더 적은 사람이 1점을 얻어요.

📏 한 번 더 연습해요!

1. 규칙에 따라 수를 써넣어 보세요.

784 786 788 **790** **792** **794** **796** 798

109

111쪽

★ 놀이 수학

몇 분일까?
인원 : 2명 준비물 : 124쪽 활동지, 주사위, 놀이 말 2개

출발 8시

+ 10분 · + 5분 · + 20분 · 0분 · + 10분 · + 15분

+ 10분 · + 5분 · − 20분 · − 10분 · + 5분 · + 15분
− 10분

+ 20분 · 0분 · − 15분 · + 5분 · + 10분 · − 15분
+ 10분

도착 − 5분 · + 20분 · 0분 · − 10분 · − 15분

📏 놀이 방법

1. 활동지 시계에 정각 8시를 그려요.
2. 주사위를 번갈아 가며 굴린 다음 주사위 눈의 수만큼 움직여요. 2가 나오면 2칸 앞으로 가요. 주사위가 멈춘 칸이 + 표시일 때는 시계 방향으로 움직이고, − 표시일 때는 반대 방향으로 움직이며 활동지 시계에 시곗바늘을 그려요.
3. 먼저 도착하는 사람이 이겨요.

📏 한 번 더 연습해요!

1. 시계가 나타내는 시각을 쓰세요.

1시 **15**분

7시 **50**분
(8시 **10**분 전)

2. 계산해 보세요.

20 + 15 = **35**

15 + 35 = **50**

45 − 15 = **30**

60 − 25 = **35**

111

113쪽

★ 놀이 수학

숨은 수를 찾아라!
인원 : 2명 준비물 : 놀이 말 1개

516 517
540 542 543 544
565 566 568 570 573
592 594 595 596
616 617 618 619 620 622
641 642 643 645 646 647
667 670
693 694 695 696 697 698 699
718 720 721 722 723 724
742 743 744 746 748 749 751
767 768 770 771 772 773
790 791 792 793 795 797 798
814 815 816 817 818 819 821 822 823
841 842 843 844 846 848 849
867 869 870 871 872 873
892 893 894 896 898 899
918 920 921 922 924
945 946 947 948 949
972 973
998

📏 놀이 방법

1. 순서를 정해 고대로 말을 움직이며 수를 가려요.
2. 상대방은 말 아래 숨겨진 수를 알아내어 말해요.
3. 역할을 바꿔 가며 놀이를 계속해요.

📏 한 번 더 연습해요!

1. 계산해 보세요.

25 + 9 + 25 = **59**

47 + 5 + 13 = **65**

12 + 9 + 58 = **79**

63 + 2 + 17 = **82**

65 − 20 − 8 = **37**

92 − 60 − 7 = **25**

84 − 30 − 6 = **48**

78 − 50 − 9 = **19**

8 × 5 − 6 = **34**

4 × 6 − 7 = **17**

3 × 7 − 9 = **12**

9 × 3 − 8 = **19**

113

116쪽

탐구 과제

지도 탐구

1. 지도를 조사해 보세요.
   알레이 호텔을 떠나 어디로 가는지 살펴본 후 빈칸을 채우세요.

호텔	→ 400 m	도서관	→ 100 m	극장
호텔	→ 450 m	백화점	→ 500 m	체육관
호텔	→ 600 m	해변	→ 400 m	미술관
호텔	→ 650 m	역	→ 150 m	편의점
호텔	→ 750 m	공원	→ 450 m	미술관
호텔	→ 1000 m	미술관	→ 400 m	해변
호텔	→ 950 m	체육관	→ 700 m	공원

116

118쪽

탐구 과제

로마 숫자

아라비아 숫자로 7은 이렇게 써요. **7**

로마 숫자로 7은 이렇게 써요. **VII**

1. 빈칸에 알맞은 로마 숫자를 써넣으세요.

1	2	3	4	5
I	II	III	IV	V
6	7	8	9	10
VI	VII	**VIII**	IX	X
11	12	13	14	15
XI	XII	XIII	**XIV**	XV
16	17	18	19	20
XVI	**XVII**	XVIII	**XIX**	XX
51	52	53	54	55
LI	LII	**LIII**	**LIV**	LV
56	57	58	59	60
LVI	**LVII**	LVIII	LIX	**LX**
100	101	110	200	220
C	**CI**	**CX**	**CC**	**CCXX**
510	550	600	701	800
DX	**DL**	**DC**	**DCCI**	**DCCC**

I = 1
V = 5
X = 10

L = 50
C = 100
D = 500
M = 1000

2. 로마 숫자로 써 보세요.

2017   **MMXVII**   내가 태어난 해 _____

118

120쪽

탐구 과제

받아 내림이 있는 세로셈

십의 자리	일의 자리		십의 자리	일의 자리
7	2	−	4	3

	6	10
		2
−	4	3
	2	9

❶ 우선, 일의 자리끼리 빼요. 빼지는 수가 빼는 수보다 작으면 십의 자리에서 10을 빌려 와요.(10+2=12)
❷ 십의 자리 수에서 10을 빌려 주면 처음 수를 지우고 1 작은 수를 써요.
❸ 십의 자리 수끼리 빼요.

1. 받아 내림이 있는 세로셈을 계산해 보세요.

	5	10
	6̶	3
−	2	8
	3	**5**

	7	10
	8̶	5
−	4	9
	3	**6**

	8	10
	9̶	4
−	4	7
	4	**7**

	5	10
	6̶	6
−	3	9
	2	**7**

	7	10
	8̶	4
−	1	5
	6	**9**

	4	10
	5̶	5
−	3	7
	1	**8**

	6	10
	7̶	3
−	2	7
	4	**6**

	8	10
	9̶	6
−	1	8
	7	**8**

120